1

2

3

1　ピエロ・ディ・コジモ《使徒ヨハネ》
2　ピエロ・ディ・コジモ《マグダラのマリア》
3　ジャンピエトリーノ《使徒ヨハネ》

4　コレッジョ《ガニュメデスの誘拐》

5

6

5　ロドヴィコ・カラッチ《ユダのキス》
6　カラヴァッジョ《キリストの捕縛》

7

8

9

10

11

12

13

14

15

7　作者不詳《花嫁マリアと花婿イエス》
8　「チェージの画家」《聖母の被昇天》
9　ロップス《聖アントニウスの誘惑》
10　フォンターナ《アントニエッタ・ゴンザレスの肖像》
11　ジョゼファ・デ・オビドス《巡礼者としての少年イエス》
12　《キリストの傷》
13　《キリストの五つの傷》
14　《キリストの傷》
15　《天使の掲げるキリストの傷》

16

17

16　グエルチーノ《聖カテリーナの神秘的結婚》
17　カラヴァッジョ《聖トマスの不信》

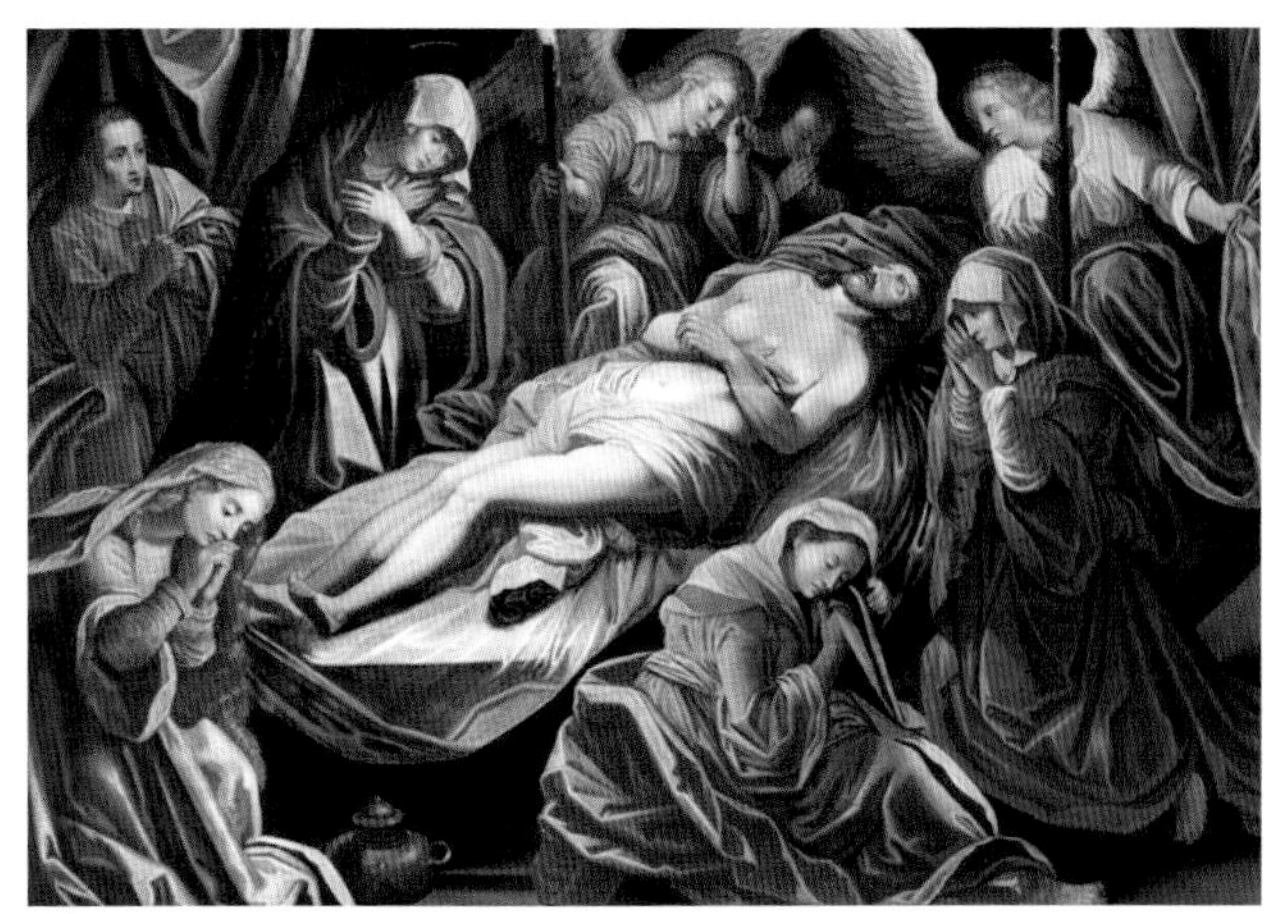

18

19

20

18　作者不詳《死せるキリストへの哀悼》
19　作者不詳《三位一体》
20　《天使をもてなすアブラハム（三位一体）》

21

22

21　カラッチ《聖母戴冠》
22　《扉の聖母》

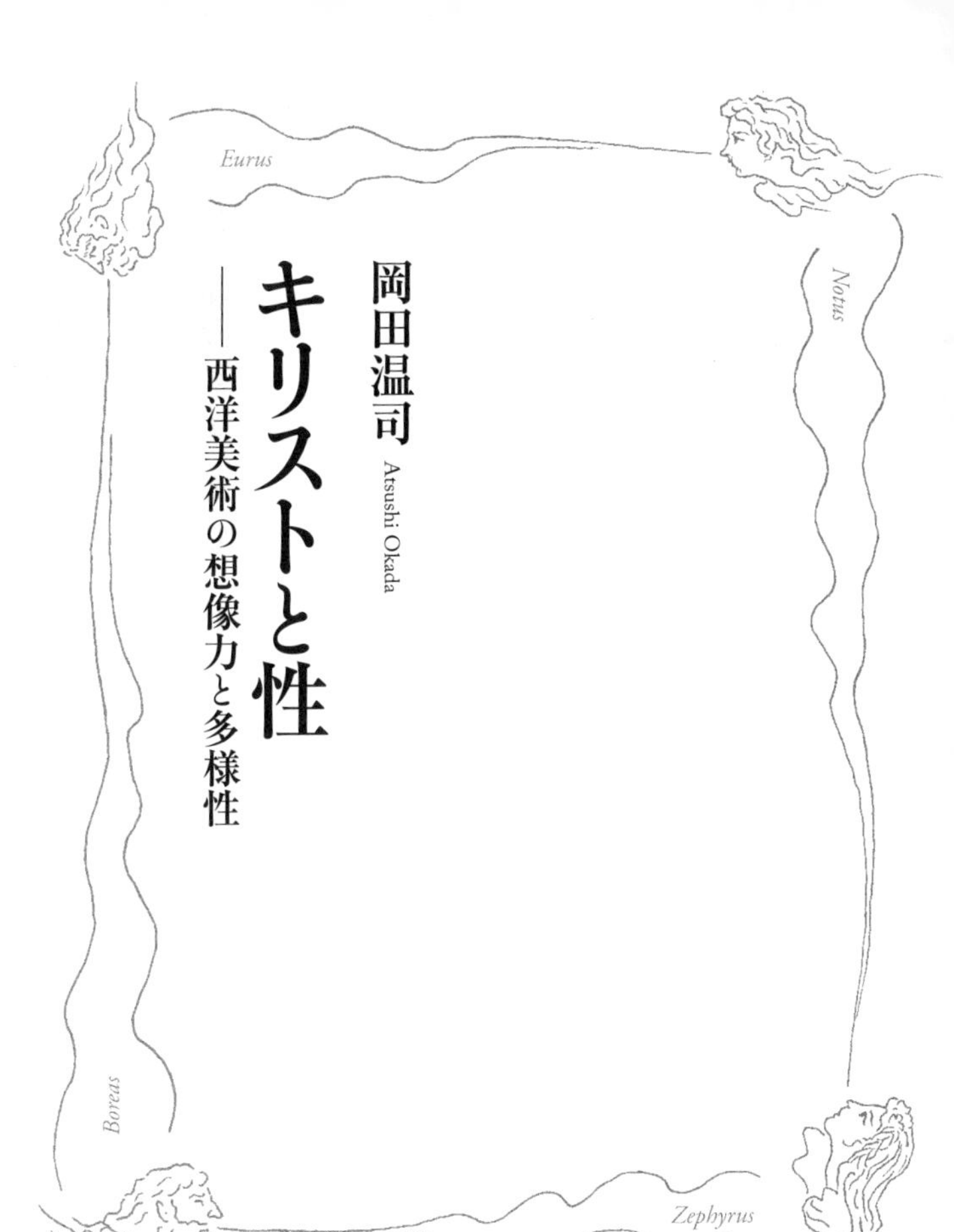

岡田温司
Atsushi Okada

キリストと性

——西洋美術の想像力と多様性

岩波新書
1992

はじめに

キリスト教は性にたいして保守的で厳格だといわれる。その一方ではまた、宗派を問わず教会内部に性犯罪や性暴力がはびこってきたことも知られている。何より深刻なのは、くりかえされてきた未成年への性的虐待である。一方、性的多様性(LGBTQ)が近年ますます叫ばれるようになって、その教会にもわずかながらも変化の兆しがみられるようだ。

とはいえ、中世からルネサンスに目を向けてみると、キリスト教は性をめぐって、わたしたちが思っているよりもはるかに多様で豊かな想像力を育んできたのではないか、そうした見通しのもとで小著は書き進められる。

それが顕著にみられるのは、正統とされた教義や神学のなかというよりも、異端として排除され、民衆のなかで生きつづけてきた信仰とそれに関連する美術においてである。そこにはまた、今日「クィア」と形容される性的嗜好を先取りしているような側面もある。それゆえ、寛容性やユーモア精神、遊び心やパフォーマンス性とも無関係ではない。「土着の」という意味の英語「ヴァナキュラー」を冠して、ヴァナキュラー神学とかヴァナキュラー信仰とか呼ばれることがあるが(McGinn; Primiano)、これに言葉を借りるなら、小著が試みようとするのはキリスト教のヴァナキュラー図像学であるといえるかもしれない。

本文は二部からなっていて、それぞれに三つの章が用意されている。第Ⅰ部「クィアなキリスト」では、キリストと三人の重要人物、順に使徒ヨハネと裏切り者とされたユダと母マリアとの「愛」の関係が、いかに語られ描かれてきたかに焦点が当てられる。

つづく第Ⅱ部「交差するジェンダー」では、基本的に男性中心主義的なキリスト教において、それを攪乱させ揺るがせるような要素も欠いてはいなかったことが、言説と図像の両面からたどられる。順に、キリストのジェンダー、その身体に刻まれた傷、三位一体のひとつ「聖霊」をめぐって繰り広げられてきた、きわめて豊かな民衆的想像力の世界である。

それでは皆さんを、いまだよくは知られていない、多様な性をめぐるキリスト教美術の世界へご案内するとしよう。

目次

Ⅰ　クィアなキリスト

1　キリストとヨハネ

日本でもベストセラーとなり、その映画もまた大ヒットしたダン・ブラウンの『ダ・ヴィンチ・コード』(二〇〇三年)はまだ皆さんの記憶に新しいところだろう。この推理小説で重要な鍵を握るのが、ルネサンスの天才レオナルド・ダ・ヴィンチ(一四五二―一五一九)の描いたフレスコ画《最後の晩餐》(一四九五―九八年、ミラノ、サンタ・マリア・デッレ・グラツィエ修道院)である。なかでも話題となり物議をかもしたのは、死を覚悟して弟子たちと最後の食事をとる画面真ん中イエスのすぐ右隣にいる、若くて色白で柔和な表情をした弟子の解釈をめぐってである(1-1)。この弟子は通常は使徒にして福音書記者のヨハネとされているのだが、小説では女使徒のマグダラのマリアとみなされているのだ。

「最後の晩餐」のなかの使徒ヨハネとイエス

聖書のなかでは、マグダラのマリアは最後の晩餐に参加しているわけではないので、もしダ

1-1　ダ・ヴィンチ《最後の晩餐》(部分)

ン・ブラウンの推察どおりだとすると、ヨハネが女性の姿に置き換えられていることになる。たしかに、青色の一枚布の外衣にピンク色のヴェールを羽織ったこの使徒は、他の一一人の使徒とは違って、女性にも見紛うような甘い表情と出で立ちをしている。

その証拠に、ミラノ時代のダ・ヴィンチの弟子であったジョヴァンニ・アントニオ・ボルトラッフィオ(一四六六／六七―一五一六)がこの部分の模写を残しているのだが、そのデッサン(1-2、個人蔵)では、ヨハネはむしろはっきりと女性としてとらえられているのである(ただしマグダラのマリアが意図されているかどうかまではわからない)。

また同じくダ・ヴィンチに大きな影響を受けたミラノの画家アンブロージオ・デ・プレディス(一四五五頃―一五〇八頃)は、フレスコ画のヨハネと同じ表情を、《合奏の天使》(1-3、一四九〇年頃、ロンドン、ナショナ

1-2　ボルトラッフィオ　ダ・ヴィンチ《最後の晩餐》の模写

1-3　デ・プレディス《合奏の天使》(部分)

ル・ギャラリー)に与えている。同じ下絵を用いたのではないかと思われるほど、両者は顔の造作から髪型にわたるまで酷似している。ちなみに、天使は基本的に性を超えた存在である。

とはいえ、ここで確認しておかなければならないのは、ことヨハネのこうしたあいまいな描写に関するかぎり、ダ・ヴィンチのフレスコ画は必ずしも例外というわけではないという点である。それどころかむしろ、「最後の晩餐」のテーマにおいてヨハネは伝統的に、女性的とまでは言わないとしても、使徒のなかでいちばん若くて白皙(はくせき)で、イエスのすぐとなりにいてイエスに寄り添うような姿で描かれてきたのである。たとえば、ジョット(一二六七頃―一三三七)のフレスコ画(1-4、一三〇三―〇五年、パドヴァ、スクロヴェーニ礼拝堂)がそのいい例である。他の使徒とくらべてひときわ若い少年のようなヨハネは、イエスの胸を借りるようにして穏やかにまどろんでいる。

しかも、この絵だけではない。同様の作例は、寝入ったようなヨハネをイエスが抱きかかえているデューラーの木版画(1-5、一五〇八年、『小受難伝』より)をはじめとして、中世からバロック期に至るまで比較的数多く挙げることができるのである。同じデューラーの別の木版画(1-6、一五一〇年、『大受難伝』より)でも、イエスは若いヨハネをまるで守るかのようにして右腕でしっかりと抱きかかえている。それゆえ、むしろこうした図像こそが「最後の晩餐」の慣例となっていた、と考えるほうが妥当である。このテーマにおいて、イエスと弟子ヨハネの親密さがことさら強調されてきたといっても過言ではないのだ。

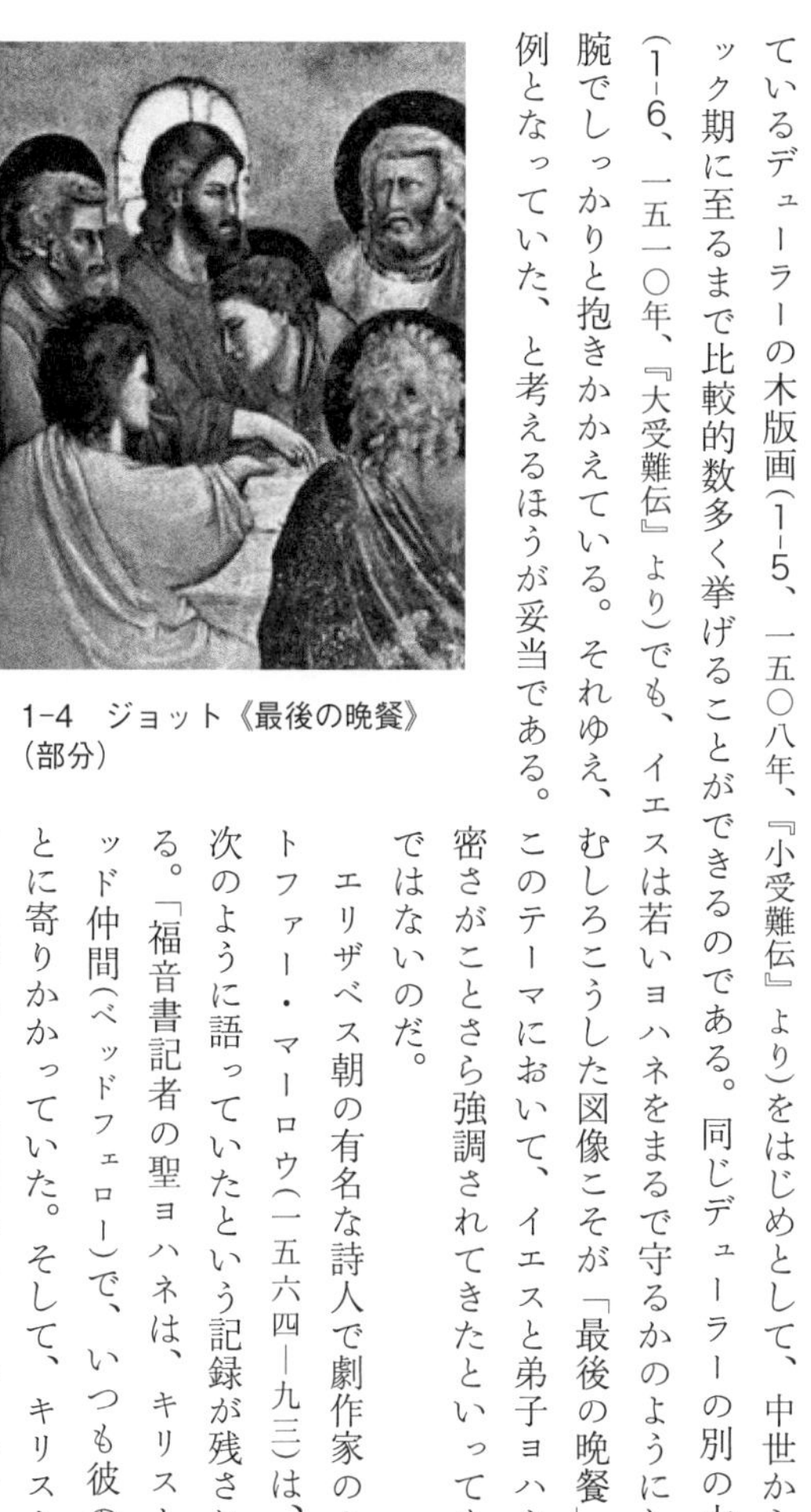

1-4　ジョット《最後の晩餐》(部分)

エリザベス朝の有名な詩人で劇作家のクリストファー・マーロウ(一五六四―九三)は、生前次のように語っていたという記録が残されている。「福音書記者の聖ヨハネは、キリストのベッド仲間(ベッドフェロー)で、いつも彼の胸もとに寄りかかっていた。そして、キリストをソドムの罪人として利用した」というのである。

これは、当時カトリックとプロテスタントの二重スパイであったリチャード・ベインズ（一五六八―九三）なる聖職者が、マーロウを異端の廉で告発するためにその怪しい発言をリストアップした、いわゆる「ベインズ・ノート」として伝わるもので、そのなかにはまた、「キリストは庶子で、マリアは不義を犯した」とか、「宗教の始まりは、単に人を畏れさせるためだった」などといった過激なものがある（Bezio）。

本当にマーロウがこんなことを言ったかどうか、その真偽のほどは定かではない（生来の無頼漢マーロウのことだからありえなくはない）。彼を陥れるためにでっち上げられたという可能性は

上：1-5　デューラー《最後の晩餐》（部分）
下：1-6　デューラー《最後の晩餐》（部分）

否定できない。とはいえ、少なくとも当時、イエスとヨハネをいわばクィアな関係ととらえる見方があったことを裏付ける発言ではあるだろう。デューラーの版画にみられたような表現が、こうした見方の広まる背景にあったとも考えられる。

さらに他にも例を挙げることができる。ルネサンスの都フィレンツェで最初の女性画家にして修道女でもあったプラウティッラ・ネッリ（一五二四―八八）が描いた油彩画の大作（1-7、一五六八年頃、フィレンツェ、サンタ・マリア・ノヴェッラ聖堂）では、イエスが左手でその胸に弟子を優しく抱き寄せるところがとらえられている。ネッリは、ドミニコ会の修道女でもあった独学の画家で、女性にも見紛うようなこうしたヨハネの姿のなかに、自分（の願望）を重ねているのではないか思われる。イエスに抱かれて寄り添いたい、という。実際、中世末期の女性の神秘家たちは、ヘルフタのゲルトルード（一二五六―一三〇二）のように、最後の晩餐でイエスの胸に抱かれるヨハネに自分

1-7　プラウティッラ・ネッリ《最後の晩餐》（部分）

1-8　作者不詳《最後の晩餐》(部分)

が置き換わる幻視を体験しているという(Jirousek)。

南イタリアのバジリカータ州の小都メルフィの大聖堂に伝わる巨大な油彩画《最後の晩餐》(1-8、作者不詳、一七世紀)でも、キリストのかたわらで肘をついて両眼を閉じる若いヨハネは、もはや女性にしか見えないような表情をしている。イエスに愛されたとされる使徒ヨハネは、女性の神秘家や修道女たちが、みずからを投影しやすい存在でもあったのだ。

イエスとヨハネのツーショット

ここまで見てきた図は、わたしが選んで、あえて全体の場面からほぼ真ん中の部分のみを切り取って掲載したものなのだが、そうではなくて最初から、イエスとヨハネの二人だけをツーショットでとらえたような作例も存在している。つまり、「最後の晩餐」の場面において特徴的なイエスとヨハネだけを、その主題の文脈や他の使徒たちから切り離して、いわばクローズアップさせるのである。たとえば、一三〇〇年前後に北方で活躍した彫刻家ハインリヒ・フォン・コンスタンツの彩色木彫《イエスと使徒ヨハネ》(1-9、一二八〇—九〇年頃、アントウェルペン、マイヤー・ファン・デン・ベルグ美術館)などがこれにあたる。手前の食卓は省かれていて、二人はその全身をあらわにする(大人のほぼ半分のサイズ)。

ここでもうら若い弟子ヨハネは、まるで甘えるかのようにして師イエスにわが身を預け、イエスも弟子の肩にそっと左手を添えている。二人は互いの右手を取り合っていて、その親密さが際立たされる。イエスの左の素足が軽くヨハネの外衣の裾に触れているところもまた見過ごさないようにしよう。長髪で豊かな髭をたくわえた鋭い視線のイエスとは対照的に、ヨハネは、短い巻き毛で髭のない少年のようなあどけない表情をしている。

上：1-9　ハインリヒ・フォン・コンスタンツ《イエスと使徒ヨハネ》
下：1-10　《新婚夫婦》(部分)

1-11　《新婚の儀礼(頭文字C)》

互いの右手を重ね合うという仕草は、古代ローマでは文字どおり「デクストラールム・イウンクティオ(右手の結合)」と呼ばれ、婚礼の儀式で新たに結ばれたカップルがとっていた風習で、その様子を表わした丸彫りの彫刻や浮彫りも比較的たくさん残っている(1-10、三世紀、ローマ、ヴィッラ・トルローニア)。もちろん、イエスとヨハネの木彫の作者が、そうした古代の慣例や遺品を知っていたかどうかはわからないが、まったく無関係であるようにも思われない。中世の手写本のなかには、聖職者に促されて互いの右手を取り合うカップルを描いた細密画(1-11、一四世紀、ロンドン、大英図書館)なども残っているから、この仕草が結婚(あるいは婚約)の証明であることは、キリスト教社会にも伝わっていたと想像される。

この彫刻家の他の作例も含めて、同様のものが、とりわけ一四世紀の北方で少なからず伝わっていることからも、その人気のほどが推し量られるだろう(Jirousek)。別の木彫(1-12、一三二〇年頃、ヘルメチウィル=シュタッフェルン、ザンクト・マルティン修道院)では、巻き毛のヨハネは右手を軽くイエスの膝の上にのせて、穏やかにまどろんでいる。このような図だけを見るかぎりでは、それが「最後の晩餐」に由来することはなかなかわからないかもしれない。しかし、ここまでの話から、どこからこんな興味深い図像が出てくるのか、読者の皆さんには納得いただけるだろう。

一般に、物語場面の中心的なモチーフだけをこのようにいわばクローズアップにして、時間的にも空間的にも独立させた図像は「祈念像(アンダハツビルト)」と呼ばれ、中世末期からとりわけ個人的な礼拝のために盛んに制作されてきた。もっとも多いのは、受難のキリストの痛々しい上半身だけを強調した「イマーゴ・ピエターティス(悲しみの人)」や「エッケ・ホモ(この

1-12　コンスタンツ《イエスと使徒ヨハネ》

人を見よ)」の図像で、これらにおいては、絵を見ることでキリストと同じ苦しみを想像的かつ神秘的に追体験することが求められる。一四世紀ドイツの神秘思想家トマス・ア・ケンピス(一三七九—一四七一)のよく読まれてきた著書のタイトルに準じるなら、「キリストに倣いて(イミタチオ・クリスティ)」というわけである。

では、イエスとヨハネのツーショットの場合はどうであろうか。ここでの重心は、キリストとの愛であるように思われる。当時こうした祈念像を見る者——修道僧であれ、聖職者であれ、一般信者であれ——は、おそらく男女を問わず、ヨハネのうちに自分の姿を重ねていたのではないだろうか。伝統的にこの使徒は、イエスの「最愛の弟子」とみなされてきたのだ。ここに図を挙げたものにかぎらず、他の作例においても、二人はたいていそれぞれの右手を差しだして握り合っている。また、上半身を傾けるヨハネは、あたかもイエスの心臓の鼓動に静かに耳を澄ましているかのように、その頭部がイエスの胸の前に置かれている。こうした細部の造作にもまた、キリストとの愛が暗示されているように見える。そして、そこにはどこかクィアな雰囲気さえ漂っている。

「イエスの愛しておられた弟子」ヨハネ

ところで、使徒ヨハネはまた、四福音書のひとつ『ヨハネによる福音書』の著者ともされるのだが(蛇足かもしれないが、洗礼者ヨハネや『黙示録』の著者ヨハネとは別人物)、そのなかで彼は、キリストと自分との関係をどのように記述しているのだろうか。以下では少しばかりそれを追っておくことにしよう。

実は『ヨハネによる福音書』には、「イエスの愛しておられた弟子」という意味深長な言い回しが何度も登場する。それが自分のことであるとヨハネが明言しているわけではないのだが、この一致には疑う余地がない。この言い回しは、ある意味で、ヨハネの自己顕示でもあればプライドのあらわれでもあるだろう。こうしてヨハネは、他の使徒や福音書記者たちから自分をはっきりと差異化しているのである。

たしかにこの福音書記者は、他の三人の福音書記者——マタイとマルコとルカ——とはやや異なる性格をもつとみなされてきた。そもそも、他の三つの福音書がいわゆる「共観福音書」として物語的に共通性をもつのにたいして、ヨハネのそれは、やや理屈っぽいところがあって、この著者の意向がより反映されていると言われてきた。その冒頭、「初めに言(ことば)〔ロゴス〕があった。言は神と共にあった。言は神であった。万物は言によって成った」という有名な哲学的な一節が、何よりもその証拠である。

さて、「イエスの愛しておられた弟子」という含蓄ある言い回しの登場するエピソードのひとつが、ここまで見てきた「最後の晩餐」についての記述なのである。それによると、イエスはこのとき、弟子たちのなかに自分を裏切る者——イスカリオテのユダ——がいることをはじめて公に告げるのだが、ヨハネはわざわざこれにつづいて、その「イエスのすぐ隣には、弟子たちの一人で、イエスの愛しておられた者が食事の席に着いていた」と付け加えているのである。しかもこの弟子は、「イエスの胸もとに寄りかかっ」ていたのだという(『ヨハネによる福音書』13. 23 - 25)。

先に見てきたような多くの絵のなかで、ヨハネがイエスに寄りかかるように描かれているとしたら、それも理由がないわけではないのだ。別のところでヨハネはまた、イエス・キリストのことを「父のふところにいる独り子である神」(1. 18)と呼んでいる。つまり、イエスが神の「ふところにいる」のと同じように、ヨハネはイエスの「ふところ」に抱かれているというわけだ。

ここで「愛する」という動詞はギリシア語「アガパオー」で、その名詞形が、神の愛や神への愛を意味する「アガペー」となる。つまりヨハネは、キリストの自分への無償の愛を、神のキリストへの無償の愛になぞらえているのである。イエスとの親密さを匂わせるこのような記述は、同じ「最後の晩餐」について述べている個所であっても、他の三人の福音書記者には見られないものである。マタイもマルコもルカも、それぞれ自分こそがイエスの最愛の弟子だと公言することはないし、ましてヨハネがそうだと認めることもない。

次にヨハネが「愛する弟子」として登場するのは、キリストが磔(はりつけ)にされる場面においてである。十字架上の瀕死のキリストは、そばにいる「愛する弟子」を見て、母マリアに「御覧なさい。あなたの子です」と告げ、さらにその弟子には「あなたの母です」と諭すのである。「そのときから、この弟子はイエスの母を自分の家に引き取った」という(『ヨハネによる福音書』19.26-27)。つまり、ヨハネがマリアの養子となることをイエス自身が望んでいたというわけである。

これもまた他の使徒たちには起こりえなかったことで、事実かどうかは別にして、イエスとの「愛」においてヨハネが自分を特別視しようとする意図をここから読み取ることは可能である。伝統的にキリスト磔刑の図像では、他の弟子たちをさしおいて、聖母マリアやマグダラのマリアと並んでヨハネが十字架のすぐそばに描かれてきた。その理由はこんなところにあったのだ。それればかりか、十字架から降ろされるキリストを描いた場面でも、しばしばヨハネは師の身体にいちばん近い位置におかれている。ピエトロ・ロレンツェッティ(一二八〇頃—一三四八)のフレスコ画《十字架降下》(1-13、一三一〇—一九年頃、アッシジ、サン・フランチェスコ聖堂)では、ヨハネはイエスの両太ももを抱いて口づけしているようにさえ見えるのである。

さて、十字架上で息絶えたキリストは埋葬から三日目に復活することになるわけだが、この復活においても「イエスの愛しておられた弟子」が活躍する。マグダラのマリアから、墓石が

1-13　ピエトロ・ロレンツェッティ《十字架降下》(部分)

あるべき場所にないという報告を受けたシモン・ペトロ(ペテロ)と「イエスが愛しておられたもう一人の弟子」の二人が急いで現場に駆けつけてみると、遺体を包んでいた亜麻布(あまぬの)だけが残されていて、肝心の中身がないのを発見するという名高いエピソードである(『ヨハネによる福音書』20.1－10)。

ところが、ここでの「愛しておられた」(20.2)は、これまでの「アガパオー」ではなくて、「フィレオー」という動詞が使われている。その名詞形が「フィリア」で、しばしば「友愛」と訳される。周知のように、「知への愛」としての「哲学(フィロソフィー)」の語源となっているのと同じ「愛」である。

では、なぜヨハネはここでわざわざ用語を使い分けたのか。わたしは不勉強でその真意のほどは知らないのだが、一般に広く認められているのは、「アガペー」が神と人間との無償で究極の愛であるのにたいして、「フィリア」は人間同士の有限だが開かれた関係性であるという違いであろう。

師との「愛」をめぐる弟子たちの葛藤――ヨハネとペテロの場合

別のところでヨハネは、復活したイエスがペテロに向かって、まるで念を押して確かめるかのように三度にもわたって「わたしを愛しているか」と問うた、というエピソードを報告している。これにたいしてペテロは、「わたしがあなたを愛していることは、あなたがご存じです」とそのたびごとに根気よく応えている(『ヨハネによる福音書』21.15‐17)。実はここでイエスはペテロに、最初の二回は「アガパオー」という動詞で尋ねているのだが、ペテロのほうはというと、どちらとも「フィレオー」という動詞で答えを返しているのである。たまりかねたのであろうか、三度目にはイエスもペテロに合わせるようにして「フィレオー」で問うと、ペテロはまたもや同じこの動詞で答えている。

なぜヨハネがわざわざ福音書も最後のほうになって、同じ使徒のペテロにまつわるこのエピソードを盛り込んだのか、その真意のほどは定かではない。が、さながらペテロはイエスの

「アガペー」の真意を理解していないか、とらえ損ねているかのようにも聞こえなくはない。「アガペー」も「フィレオー」もどちらも心得ているヨハネにたいして、ペテロはあくまでも「フィレオー」のことしか念頭にない、というわけである。うがった読みかもしれないが、まるでヨハネはそう言いたげである。「最愛の弟子」ヨハネは、ペテロのイエスへの「愛」をあくまでも「フィリア」の段階にとどめおこうとしているようにも思われるのだ。

それだけではない。『ヨハネによる福音書』には、ヨハネが自分をペテロと対比させている記述がいくつかあって、あえて少し深読みをするなら、イエスの「愛弟子」ヨハネはペテロにたいしてある種の対抗心を抱いていたのではないかとさえ疑われるのである。ちなみに、師にいちばん愛されている弟子は誰なのか、師の愛をめぐる弟子たちのこうした葛藤は、何もイエスと使徒たちのあいだにかぎられる話ではない。それは、男性同士の絆に重きを置く、いわゆるホモソーシャルな関係性のなかではよく起こりうることである。

福音書に戻るなら、たとえば、ゲッセマネでイエスが捕らえられた後、ヨハネとペテロの二人の弟子だけがその後を追っていき、大祭司の前で裁きを受けるイエスの様子を遠くから見守っている。このときペテロは、見知らぬ三人の人物から別々にイエスの弟子だろうと問い詰められて、いずれも否定してしまう(『ヨハネによる福音書』18.15-27)。その人と自分とは何のかかわりもないのだ、と。いわゆる「ペテロの否認」という出来事である。つまり、ユダだけでなくてペテロもまたある意味でイエスを裏切っていたわけだ。これにたいして、ヨハネはイエスの最期をしっかりと看取っているのである。

この「ペテロの否認」については、他の三人の福音書記者たちも報告しているのだが、それがヨハネとの対比で語られることはない。先述した復活の場面でも、ヨハネは、「イエスが愛しておられたもう一人の弟子」、つまり自分のほうが「ペトロより速く走って、先に墓に着いた」と、わざわざ言い添えているのである(『ヨハネによる福音書』20.4)。

もちろん、他の福音書にもヨハネとペテロを比較するような記述がないわけではない。たとえば、マタイの伝えるところでは、イエスの最初の弟子となる二人は、ともにもともとガリラヤ湖の漁師だったのだが、ペテロが「網を打っている」のにたいして、ヨハネは「網の手入れをしている」という(『マタイによる福音書』4.18-22)。つまり、網を打って魚を捕るのはペテロで、その網にほころびが生じれば、それをつくろうのがヨハネだ、というのである。

さして他意もないように聞こえるかもしれないが、管見では、マタイの伝えるこの違いは示唆的である。というのも、ここではどちらかというとペテロのほうが主導権を握っていて、ヨハネはその補助役に回っているからである。この対比は、『ヨハネによる福音書』から推測されるものとはかなりニュアンスを異にしていて対照的ですらある。それゆえ、ヨハネとペテロ(そして他の福音書記者たち)とのあいだに何らかの葛藤があったのではないかと想像してみたくもなるのだ。そしてたしかに、初代の教皇についたとされるのは、皆さんもよくご存じのようにペテロであった。マタイの含蓄ある婉曲な言い回しは、「網を打つ」――教会を打ち立てて信者を集める――のはペテロであって、「網をつくろう」ヨハネはあくまでもその援護に回る存在である、という意味にも読めるのである。

さらに、『ルカによる福音書』と同じ著者、つまりルカが著わしたとされる、イエス没後の弟子たちの布教活動を記した『使徒言行録』になると、ペテロとヨハネがやはり連名で何度か登場するものの、重心がはっきりとペテロのほうに移っているのである。

たとえば、二人がいっしょにいたときに、「足の不自由な男」に出会うというエピソードでは、この男を見事に癒して歩けるようにしたのは、つまり奇跡を起こしたのは、ヨハネでなくてペテロである(『使徒言行録』3.1-9)。また、サマリアの人々への布教においても、二人はともにその地に赴いているのだが、語るのはもっぱらペテロであってヨハネではない(8.14-24)。これらの記述からうかがうことができるのは、ペテロの一派――つまりはローマ教会――が優勢になりつつあること、あるいは少なくともそのような動向があったということであろう。

こうした全体の趨勢にあたかも一矢報いるかのように、ヨハネは、例の決めゼリフ「イエスの愛しておられた弟子」という言い回しをさらに畳みかけることで、その福音書を締めくくっている。いわく、「これらのことについて証しをし、それを書いたのは、この弟子である。わたしたちは、彼の証しが真実であることを知っている」と(『ヨハネによる福音書』21.24)。そしてここで「愛している」に使われている動詞は、もちろん「アガパオー」である。こうしてヨハネは、その福音書の最後にもういちど釘をさすようにして、自分こそがイエスにもっとも愛された弟子であったことを公言するのである。

外典のなかのヨハネ

ところで、とりわけ初期キリスト教の時代には、聖書のなかに収められている文書とは別に、外典や偽書と呼ばれる数多くの文書が記されたことは、皆さんもご存じであろう。それらは、しばしば異端視されてきたものだが、本来キリスト教には正統とされてきたもの以外にも、いかに多彩な考え方があったのかを伝えてくれる貴重な証言になっている。ことヨハネに関しても外典が存在している。二世紀の末に成立したとされる『ヨハネ行伝』がそれである(著者はもちろんヨハネ本人ではない)。

異端として排斥されたグノーシス主義の影響が濃いとされるこの『ヨハネ行伝』において、とりわけわたしたちの文脈で興味深いのは、死を覚悟したヨハネが、天にいる主キリストに向かって次のように祈る最後の数節(113－115)である。そこには、自分が女性との交わりを断ち、三度も結婚を思いとどまったのは、キリストへの信仰のゆえであったことが切々と告白されているのである。少々長くなるが、わたしたちの議論にとってひじょうに示唆的な部分なので、そのさわりを引用しておきたい。

今、このときに到るまで、この私をあなた御自身に対して、また、女との交わりから潔くお守り下さいました方よ、若い頃、結婚しようと思った私に顕われて、「ヨハネよ、私にはおまえが必要なのだ！」と云われ、私の思いを変えるため、私に身体の病弱をさえ備えられた方よ、私が結婚したいと願った三度目には、急いで私を推し止め、そのあと、昼間の三時頃でしたか、私に海の上でこう云われた方よ、「ヨハネよ、おまえがもし私のものでないのなら、私はおまえが結婚するがままにさせたことであろう」と。悲しませ、そこからあなたを求めさせるため、私を二年もの間盲目にされた方よ、三年目に私の心の視力を開き、同時に、明るく澄んだ両の瞳をお恵み下さいました方よ、私が再び見えるようになったとき、女をその気で眺めることさえ嫌わしいこととされ、はかない気の迷いから私を解き放ち、持続する生命へとお導き下さいました方よ(大貫隆訳)。

このような調子で、主キリストへの祈りはさらに長々とつづき、最後に次のように締めくくられる。「あなたがあなたおひとりを愛しつつ潔く生きた者たちにお約束なさったことに与るようにさせて下さい」と。三度までも結婚を断念し、あなただけを愛してきたのだから、死してもなお「私と共におられて下さい」というのである。

死を目前にして、自分が信仰に入ったいきさつをしみじみと振り返るヨハネの脳裏に焼き付いているのは、まさしくキリストとの愛である。もちろん、この祈りの基調をなしているのが、当初からキリスト教の根底にあるミソジニー（女性にたいする嫌悪や憎悪）と独身主義、処女と童貞の理想化であることに変わりはないのだが、それをほかでもなくヨハネその人の口を借りて語らせているのが、このテクストのポイントである。イエスこそがヨハネの結婚を思いとどまらせたのであり、そのイエスは、愛弟子のことを「私のもの」とまで言い切るのである。それゆえこの外典において、『ヨハネによる福音書』の決まり文句「イエスの愛しておられた弟子」が、戯画的に誇張されているのではないかとさえ疑われるほどである。

マグダラのマリアの愛を捨ててイエスのもとに走るヨハネ

こうしたヨハネとイエスとの特別の関係は、その後人々の想像力を大いに掻き立てたようで、中世になるとさらにさまざまな脚色が施されていくことになる。とりわけ、ヨハネの結婚にイエスが割り込んできたという話は、どこかゴシップじみてもいるから、下世話なことかもしれないが、いったい何があったのだろうと勘繰りたくなるのが人情というものである。いつの時代でも、他人の色恋沙汰は衆人の大きな関心事なのだ。

そんな脚色のひとつにたとえば次のようなものがある。ヨハネの結婚相手とは、誰あろうマグダラのマリアである。二人はめでたく結ばれることになるのだが、まさにその婚礼の席上で、ヨハネがイエスのもとへと去ってしまったため、初夜を迎えることのないまま良人を奪われたことを恨みに思ったマグダラのマリアは、あらゆる快楽に身を持ち崩すようになった、というのである。こうして、ヨハネが信仰に入った経緯と、反対にマグダラのマリアが堕落するに至った原因が説かれるわけだが、ここにもまた、女性を排除することで成立するホモソーシャルな関係性を読み取ることができる。

このエピソードを伝えているのは、ドミニコ会の修道士ヤコブス・デ・ウォラギネ(一二三〇頃―九八)が著わした聖人伝『黄金伝説』(一二七〇年頃)で、キリスト教文学の長年の大ベストセラーとしても知られている。ただし、ウォラギネ本人はこの伝承には懐疑的で、これを手短に紹介した後で、「しかしながら、この見解は、謬説であり、適切でないとされている」とわざわざ断わっているほどである。

とはいえ、無視することなくあえてそれに言及したところをみると、まんざらありえない話ではないと考えていたのだろう。くりかえしになるが、『黄金伝説』は当時から広く愛読されてきた本だから、イエスをはさんでヨハネとマグダラのマリアのどこか意味深長な三角関係についても、わたしたちが想像する以上に、人々の興味の的になっていたように思われる。

さらに、このエピソードをもっと詳しく取り上げているのは、同じくドミニコ会の修道士であったドメニコ・カヴァルカ(一二七〇頃―一三四二)である。隠者たちの伝記を集めたその著『教父伝』(一三三〇年頃)に収録された比較的長い「マグダラのマリア伝」の冒頭で、聖ヒエロニムス(三四七頃―四二〇)に由来する古くからの伝承として、この聞き捨てならないエピソードを紹介しているのである(Cavalca)。

それによると、二人の婚礼はカナンの地で執りおこなわれていて、「たいそう美男でやさしいこの聖ヨハネには、まだ罪を犯していない美しくて優雅な娘〔マグダラのマリア〕がとてもお似合いである」、とカヴァルカはコメントしている。この本では彼女はもともと、身分の高い家柄の麗しい生娘ということになっているのだ。

ところが、その祝宴の席でまさしくイエスが、水をワインに変えるという最初の奇跡を披露してみせたのが運のつきであった。これを目の当たりにしたヨハネは、初夜もそっちのけで、新妻マグダラのマリアを振り切って、イエスのもとに走ってしまうのである。「イエス・キリストは、ヨハネが純潔なままであることを望んで、祝宴の後で、彼を引き連れて行ってしまった」のだ、と著者カヴァルカは語る。

マグダラのマリアもまた同様にイエスの奇跡に驚かされはしたものの、とりたてて強く心動かされたわけではなかった。というのも、「世の中のことはたいてい当てにならず、虚飾に満ちている」からである。傷心のすえ彼女は、実家に戻ってくるが、愛していた男が自分の理解できない信仰の愛に身を捧げていることに混乱し、茫然となる。苦しみから逃れるために彼女は、巷に出て、人前に身をさらすようになる。それが、彼女の悪評につながり、あげくの果てには、娼婦呼ばわりまでされるようになった、というのである。

この哀れなマグダラのマリアに、著者のカヴァルカは同情さえ示しているようで、「しばらく後にマグダラがすさんだ生活を送るようになったとしても、世間の人たちはおそらくいくらか大目に見てくれることだろう」、とわざわざコメントしているほどである。このエピソードは「マグダラのマリア伝」のなかで披露されていて、著者はそんな彼女の境遇を思い遣っているようである。

このようにカヴァルカは、あたかもまさしくイエスその人が、新婦から新郎を奪い取ったかのように語っているのである。言うまでもないことだが、これが事実か虚偽かということはさして問題ではない。たとえまったくのでっち上げであるとしても、イエスとヨハネとマグダラのマリアとをまるで三角関係に置くような想像力が働いていて、そうした語り口がたしかにかなり古くから存在していた、という点こそが重要である。

しかも面白いのは、カヴァルカはここで、ヨハネとマグダラのマリアのカップルの婚礼を、いわゆる「カナの婚礼」として福音書に語られている出来事と同じものとみなしていることである。このとき婚礼に招かれたイエスは、祝宴の席でワインが底をついているのを知って、母マリアに促されるようにして、壺のなかの水を見事にワインに変えてみせたのだった。このエピソードは、イエスの起こした数々の奇跡のなかでも最初のものとして、また聖母マリアの積極的な関与性――執り成し――を裏付けるものとして、キリスト教圏では広く知られ、くりかえし美術のテーマにもなってきた。

とはいえ実は、この「カナの婚礼」の話は、『ヨハネによる福音書』だけが伝えているもので(2.1-11)、他の三つの福音書にはいっさい言及がない。マルコもマタイもルカも、このエピソードについては沈黙しているのである。つまり、四人のなかでただひとり、ヨハネだけが知っていて伝えていることなので、あえて今風のいい方をするなら、彼自身のプライバシーにかかわることではないかという連想が働くわけである。ただしヨハネはここで、それが自分とマグダラのマリアの婚礼であると述べているわけではないので(カップルの名前が伏されているのもまた意味深長ではある)、二つの婚礼を同じものとみなすのも、やはり後代の想像力のなせるわざなのかもしれない。

「カナの婚礼」もまた古くから絵のテーマになってきた。しかしながら、わたしの知るかぎり、さすがにあからさまに三角関係を匂わせるような描写は見当たらない(ただし写本挿絵には

1-14　ジョット《カナの婚礼》

暗示的な作例が残っていて、これについては拙著『マグダラのマリア』を参照いただきたい）。とはいえ、カヴァルカの記述が証言しているように、「カナの婚礼」の新婚カップルにヨハネとマグダラのマリアを重ねていると思われる作品がないわけではない。

たとえば、ジョットがパドヴァのスクロヴェーニ礼拝堂に描いたフレスコ画（1-14、一三〇三—〇五年）がそれである。画面の左、花婿はここで、「最後の晩餐」と同じようにイエスのすぐそばに座っている。その頭部に光輪がないのは、彼がまだキリストに召されていないからである。イエスが右手を上げると、水がワインに変わったようで、画面右で給仕の男がグラスを口に運んで確かめている。

一方、花嫁はまるでこの祝宴の主役を演じているかのように、聖母マリアと女性にはさまれて、花婿からはやや離れた位置、画面の中央に堂々と座している。鮮やかなオレンジ色の衣装を身にまとったこの花嫁にもやはり光輪はない。画家ジョットがこの二人をはっきりヨハネとマグダラのマリアのカップルとして描いたという確証はないのだが、その可能性は否定できない。同じスクロヴェーニ礼拝堂のキリスト伝フレスコ画連作中には、先ほど見た《最後の晩餐》のほかにも、ヨハネやマグダラのマリアが登場する場面が描かれていて、それぞれの相貌は似ているといえば似ているようでもある。

1-15　フアン・デ・フランデス《カナの婚礼》(部分)

あるいはまた、ネーデルラントの画家フア

ン・デ・フランデス(活躍期一四九六―一五一九)が描いた小さな板絵(1-15、一四九七年頃、ニューヨーク、メトロポリタン美術館)のなかの若々しくて愛らしい正面のカップルにもまた、マグダラのマリアとヨハネのイメージが重ねられているように、わたしには思われる。新婦は聖母と同じように合掌し、何やらいわくありげな仕草で語りかけてくる新郎に耳を傾けているようにみえる。

カップルにしてライヴァル、似た者同士の使徒ヨハネとマグダラのマリア

そのマグダラのマリアは、共観福音書によればイエスによって回心したとされ、またとりわけ彼女の名を冠した『マリアによる福音書』などの外典のなかでは、イエスの良き「伴侶」とまで呼ばれている。とすると、使徒ヨハネとマグダラのマリアとは、人々の想像力のなかで、イエスによって引き裂かれたカップルでもあれば、イエスの愛をめぐるライヴァルでもあったことになるだろう。言ってみれば二人は似た者同士でもあったわけだ。

このこともまた、美術のなかにたしかに反映されている。ダ・ヴィンチの《最後の晩餐》をめぐるダン・ブラウンのあらぬ憶測は別にしても、イエスの二人の弟子は、しばしばどちらとも見紛うような姿で描かれてきたのである。先述のように二人は、聖母マリアとともに十字架のイエスの最期を看取っているのだが、たとえばラファエッロの名高い《磔刑像》(1-16、一五

〇二―〇三年、ロンドン、ナショナル・ギャラリー)において、両者の姿は酷似している。もちろん、ひざまずいて磔のイエスを見上げているのがマグダラのマリアで、その背後にいて両手を組んでいるのがヨハネであることはまちがいないのだが。これは、ヨハネが女性化して描かれることもあったという趨勢に準じるものでもある。

さらに、ピエロ・ディ・コジモ(一四六二頃―一五二一)の美しいタブロー画(口絵1、一五〇四年、ホノルル美術館)になると、一目見ただけではどちらなのか即断しがたいところがある。その表情はあどけない少女のようにも少年のようにも見える。決め手となるのは場面の左手前にある、蛇のいる杯で、これは図像的に使徒にして福音書記者ヨハネのアトリビュート(持物)とされてきた。というのも、やはりウォラギネの『黄金伝説』によると、イエスの信任厚いヨハネは、毒杯による暗殺計画に巻き込まれたことがあるのだが、それをも跳ね返すほどの力があったからである。

とはいえ、マグダラのマリアも、イエスの

1-16 ラファエッロ《磔刑像》(部分)

遺体をぬぐう香油の壺とともに描かれてきたから、杯と壺の違いはあるとしても、二人のアトリビュートもよく似ているといえば似ているのである。参考までに、やはりピエロ・ディ・コジモがほぼ同じころに描いた美しい《マグダラのマリア》(口絵2、ローマ、バルベリーニ宮国立古典絵画館)を並べて掲載しておこう。真珠の髪飾りを外して、垂れた髪をもう少しだけ短くすると、同じモデルではないかと思われるほど、ヨハネと瓜二つに見えないだろうか。

このように、マグダラのマリアに見紛うようなヨハネの単体像の例も少なくはないが、ここではもうひとつ、ダ・ヴィンチの弟子であったジャンピエトリーノ(活躍期一四九五―一五四九)の作品(口絵3、一五三〇年頃、ミラノ、アンブロジアーナ絵画館)を挙げるにとどめよう。この絵では、杯のなかに蛇は描かれておらず、モデルはもっぱら師ダ・ヴィンチのトレードマークである謎めいた微笑みを返しているだけだから、ヨハネなのかマグダラのマリアなのか一見したところ区別がつきにくいことになる。

ヨハネをめぐるジェンダーのあいまいさは、おそらく画家自身によって最初から意図されていたものであったろうと想像される。ひるがえって言うなら、このことは、そうしたあいまいさをむしろ楽しむパトロンや観衆が存在したということでもあるだろう。こうした表現が出てくる背景には、ここまで見てきたように、古くから人々の想像力のなかで、イエスとの愛をめぐって、使徒ヨハネとマグダラのマリアとのあいだで、三角関係にも似た葛藤のストーリーが語られてきたという経緯があったように思われる。それもこれも、イエスとのどこかクィアな愛が原因しているのだ。

ガニュメデスとしてのヨハネ

イエスとヨハネの関係をめぐって、中世末期にはさらにいわくありげな読み込みが加わってくる。名高い美術史家エルヴィン・パノフスキー(『イコノロジー研究』)やユベール・ダミッシュ(『雲の理論』)が示唆するところによると、中世において、古代の異教神話の数々がキリスト教的に読み替えられていく過程のなかで、ゼウス(ユピテル)とガニュメデスをめぐる話が、イエスとヨハネにゆるやかに重ね合わされるようになるというのである。

その話とは、美少年ガニュメデスに一目惚れした主神ゼウスが、鷲に身を変じて(あるいは使いの鷲に命じて)、このガニュメデスを誘拐したというものである。こうした異教の神々たちの変身譚は、古代ローマの著作家オウィディウス(前四三―後一七)の『変身物語』によってキリスト教世界にも伝えられていた。もちろん、イエスがゼウスに、ヨハネがガニュメデスに対応することになる。若いガニュメデスが最高神ゼウスにさらわれたように、ヨハネはキリストに召された、というわけである。鷲とともに天高く舞い上がるガニュメデスは、神へと近づいていく信仰の魂の寓意として再解釈されたのである。

1-17 《ガニュメデスの誘拐》(『道徳化されたオウィディウス』より)

たとえば、異教神話をキリスト教的に読み替えた著作として知られる、古フランス語で著わされた作者不詳の『道徳化されたオウィディウス(オヴィッド・モラリゼ)』(一四世紀初頭)の手写本のひとつには、大きな鷲のくちばしにくわえられて天にさらわれる小さなガニュメデスが描かれている(1-17、ルーアン、市立図書館、MS 1044 fol.250v.)。その顔と首筋には血の跡がみてとれる。キリスト教的に解釈されたガニュメデスは、十字架によって文字どおり神に召されたイエスでもあれば、イエスその人に召命された使徒ヨハネでもありうるだろう。

詩聖ダンテ(一二六五―一三二一)もまた、その『神曲』の「煉獄篇」第九歌で、黄金の羽をもつ鷲が中空から舞い降りてきて、自分を空高くさらっていくという夢を見たと語っている。いわく、「まるで私は、ガニュメデスが神々の集いのために/攫(さら)われ、仲間を残して天上に昇った／あの山の上にでもいるような気がした」（平川祐弘訳）、と。つまりダンテはここで、みずからをガニュメデスになぞらえ、その誘拐を、神へと近づくことにたとえているのである。

また、一六・一七世紀にヨーロッパで何度も版を重ね広く流布したアンドレア・アルチャーティ（一四九二―一五五〇）の『エンブレム集』でも、鷲に変身したゼウスによってさらわれるガニュメデスの図像に、「喜びは神のみもとに見いだされる」という銘句が掲げられている（1―18、一六二一年パドヴァ版、ウェブサイト Alciato at Glasgow による）。

コレッジョがパトロンのマントヴァ侯のために描いたとされる《ガニュメデスの誘拐》（口絵4、一五三一―三二年頃、ウィーン、美術史美術館）も同じような文脈に置いてみることができるだろう。主人がさらわれて吠える犬の視線に誘われるようにして、わたしたち鑑賞者は、まだあどけなさの残る少年と目を合わせることになる。その表情は、微笑んでいるようにも、あるいは逆に恐れているようにもみえて、どこか両義的である。本作はもともと、同じくゼウス（ユピテル）が雲のなかに隠れて裸の女神ヘラと愛を交わす場面を描いた《ユピテルとヘラ》と対になっていたとされる。

とすると、同性と異性にひかれるゼウスが寓意的に表現されていることになるが、これはまた、プラトンが『饗宴』のなかで語った有名な愛の神話にも対応するだろう。つまり、かつて太古の昔、人は同性か異性のいずれかを片割れとしてもっていて、その自分に似た片割れに惹かれないではいない、というのである。女を片割れにもっていた男は女に、男を片割れにもっていた男は男に、それぞれ愛を注ぐことになる。

一方、すでに五〇歳を超えたミケランジェロが、美貌と知性にひかれて、若いローマの貴族トンマーゾ・デ・カヴァリエーリに数々のソネットを捧げ、一連のデッサンを贈ったことは有名な話だが、そのなかにはガニュメデスの誘拐を描いたもののもあって、コピーで今日に伝わっ

上：1-18 《ガニュメデスの誘拐》(アルチャーティ『エンブレム集』より)
下：1-19 ミケランジェロからの模写《ガニュメデスの誘拐》

ている(1-19、一五五〇年代、ケンブリッジ、フォッグ美術館)。ここには、相手にたいするプラトニックな愛が投影されているとみなされている。が、ここでガニュメデスは青年の姿をしていて、大鷲にその肉体ごととらえられているから、プラトニックな次元を超えているようにも見える。

1-20 《ガニュメデスの誘拐》

ソドムの罪

他方、この神話は、こうした理想化された寓意的解釈とは別に、とりわけ中世の修道院の環境において、男色や少年愛にたいする一種の警告としても理解されていたようで、そのことを証言する作例も残されている。たとえば、ヴェズレーのサント＝マドレーヌ大聖堂の柱頭浮彫り(1-20、一一二〇―三八年)がそれである。宙吊りになった少年ガニュメデスの胴体を大鷲に化けたゼウスが鋭いくちばしでくわえてさらっていこうとしている。向かって左には少年の父トロスがいて、驚き悲しんでいるような表情をしている。さらに右側には、悪魔が大きな口を開けてその様子をからかい呪っているようだ。

ベネディクト会の教会堂にあるこの柱頭は、異教神話に話を借りて、いわゆる「ソドミー」を警告しているのであろうか。一般に「男色」などと訳される「ソドミー」は、周知のように旧約聖書の『創世記』に登場する、神にたいして不敬を働いた邪悪な民の住む町「ソドム」に由来する。見せしめとして神は、この町をゴモラの町とともに焼き滅ぼしたのだった。

ただし聖書は、彼らがどんな罪を犯したのか明言しているわけではない。まして同性愛や男色に対応するような語は使われてはいない。ただ「ソドムの住民は邪悪で、主に対して多くの罪を犯していた」(『創世記』13.13)とあるだけである。一方、『エゼキエル書』では、もう少し踏み込んで「ソドムの罪」として次のように説かれている。「高慢で、食物に飽き安閑と暮らしていながら、貧しい者、乏しい者を助けようとしなかった」(16.49)。つまり、性にかかわるものというよりも、人々の傲慢や慢心こそが滅亡の原因だった、というのだ。それを性的な逸脱と曲解したのは、中世のキリスト教である。

英語の「ホモセクシャル」は一九世紀末に登場する用語だから、中世では「ソドミー」がこれに対応することになるのだろうが、ただし「ソドミー」は、同性間のセックスに限らず、異性間のセックスでも子作りを目的としないものや正常位によらないもの、マスターベーション、獣姦なども含めたもっと広い意味で使われていたことが知られている(Jordan)。「ホモセクシャル」という語が差別的なニュアンスをもってきたのと同様、中世キリスト教において「ソドミー」もまた、性への偏見からでっち上げられてきたという側面があることを、ここであえて付言しておきたい。

さて、「イエスの愛しておられた弟子」と師イエスとの関係から出発して、話は異教神話や旧約聖書にまで広がってきたが、二人の関係は、中世から初期近世の西洋において、どこかクィアでもあるような豊かな想像力を培ってきたのである。

2　イスカリオテのユダとキリスト

「イエスの愛しておられた」弟子ヨハネとある意味で対照的なのは、イエスを裏切ったとされる弟子イスカリオテのユダである。ヨハネによると、ユダは悪魔にたぶらかされてイエスを裏切ったのだという。ユダはまた、弟子たちのあいだで金庫番をつとめているのだが、不正を働いているとヨハネは断じている。ユダはさらに「滅びの子」とも呼ばれる(『ヨハネによる福音書』13.2; 12.4－6; 17.12)。

ユダは本当に裏切り者なのか

そしてたしかに、絵のなかでユダはくりかえし悪魔に憑かれたおぞましい姿で描かれてきた。たとえば、グロテスクさをことさら強調した、ジョヴァンニ・カナヴェジオ(一四五〇以前―一五〇〇)の《ユダの首吊り》(2-1、一四九一年、ラ・ブリギュ、ノートルダム・デ・フォンテーヌ礼拝堂)などがその最たる例である。ユダのはらわたから取り出されているのは彼の魂で、黒い悪魔の手中に落ちている。ちなみに首を吊ったユダは、この絵のようにしばしば内臓が垂れ下がる残酷な姿で描かれてきたが、それというのも、「体が真ん中から裂け、はらわたがみな出てしまいました」と聖書に記されているからである(『使徒言行録』1.18)。

だが、ユダは本当にイエスを裏切ったのだろうか。というのも、実のところいちばん強い口調でユダの裏切りを告発するのが、ほかでもなくヨハネで、他の福音書記者たちは微妙にニュアンスが異なっているのである。

2-1　ジョヴァンニ・カナヴェジオ《ユダの首吊り》

ちなみに、同じユダなる名前の他の人物たちと区別するため、問題のユダには「イスカリオテの」という形容が冠されるが、この「イスカリオテ」とはもともと「カリオテの人」という意味である。カリオテもしくはケリヨトはユダヤ地方の町の名で、旧約聖書の『ヨシュア記』(15.25)のなかで「ユダ族の町々」のひとつに数えられている。イエスの他の使徒たちが北部のガリラヤ地方出身だったのにたいして、ユダだけが南部のユダヤ地方の出身であったとされる。

イエスの初期の伝道活動の地であり、それゆえキリスト信仰の揺籃の地となるのはガリラヤ地方である。やはりヨハネの伝えるところでは、早くからユダヤ人たちはイエスを殺そうとねらっていたため、イエスはあえてユダヤ地方を避けてガリラヤ地方を巡っていたのだという(『ヨハネによる福音書』7.1)。この発言には、ユダヤ教との差異化を図ろうとするヨハネの隠れた意図が感じられるが、ユダが裏切り者に仕立て上げられたのには、こんな地政学的な背景があったのかもしれない。

ユダをめぐる解釈の葛藤

先述のように、ユダをめぐっては四人の福音書記者たちのあいだで微妙な見解の相違がある。たとえばマタイやマルコによると、ユダはイエスをユダヤの祭司側に「引き渡した」のだという(『マタイによる福音書』26.15;『マルコによる福音書』14.10)。ここで使われているギリシア語の動詞は「パラディドミー」、そのラテン語訳は「トラディティオ」で、もともとは文字どおり「引き渡す」という意味である(ここから派生したイタリア語やフランス語では、「裏切る」というニュアンスが勝ってくる)。

さらにマタイの報告するところでは、意味深長なことにも、ほかでもなくイエス本人がユダに向かって「友よ、しようとしていることをなすがよい」、といったとされるのである(『マタイによる福音書』26.50)。これではまるでイエス本人がユダをけしかけているようなものである。このときユダは、捕らえられる寸前のイエスに接吻しようとしていた。『ヨハネによる福音書』(13.27)でも、イエスはユダに似たようなセリフ――「しようとしていることを、今すぐ、しなさい」――を投げているのだが、そこにはユダの接吻も、イエスの「友よ」という呼びかけもない。

一方、イエスを引き渡したことで後悔の念に苛まれ、代価の銀貨三〇枚をユダヤの祭司側に返したのちに、みずから首を吊って命を絶ったという後日談を語っているのは、四人の福音書記者のうちただひとりマタイだけである。総じてマタイは、他の三人にくらべて、ユダに同情的とはいわないまでも、ある程度まで事情を察していたようで、ユダの苦しみや悔恨の情、そして罪滅ぼしについてもちゃんと後世に伝えようとしているのだ。

たしかに、ユダがイエスを引き渡さなければ、イエスが十字架にかかることはなかっただろう。そうすると、イエスが復活することもなければ、救世主(メシア)とみなされることもなかったことになってしまう。つまり、あろうことかキリスト教そのものが成立しえなくなるかもしれない。実のところユダは、キリスト教の核心にあって板挟みにされている存在なのだ。ユダを「裏切り者」と切り捨ててしまうのはいささか早計である。

だからこそ、たとえばギュスターヴ・フローベールは空想的な小説『聖アントワーヌの誘惑』(一八七四年)のなかで、「ユダに栄光を」、「ユダを通じて神は世界を救ったのだ」、「ユダなしには死もなければ復活もない」と、瀆聖的ともいえるセリフを高らかに宣言できたのだった。またホルヘ・ルイス・ボルヘスも、「ユダについての三つの解釈」という興味深いエッセーで、キリストの存在を高めるためにユダはあえて裏切り者という汚名を引き受けたのだという(『伝奇集』)。

日本に目を向けてみると、「西方の人」(一九二七年)という美しいエッセーでユダの立場に温かいまなざしを注いでいるのは、もちろん芥川龍之介である。「ユダは必しも十二人の弟子たちの中でも特に悪かった訣(わけ)ではない」。「お前のしたいことをはたすが善(よ)い」とユダに促したキリストは、「彼自身の中にも或はユダを感じてゐたかも知れない」というのである。短い言葉のなかで事の本質を突いているように聞こえないだろうか。キリストとユダは実は似た者同士だったのかもしれない、つまるところ芥川はそう考えているようだ。

さらに、太宰治が「駈込み訴え」(一九四〇年)という短編小説で描きだす自暴自棄のユダは、どこかクィアでさえある。他の弟子たちとはくらべものにならないほどイエスを愛しているからこそ、他人の手で殺させたくない、あの人を殺して自分も死ぬ、ユダはそう覚悟を決めたというのである。愛が深ければ深いだけ、憎しみもいやがうえにも募る、というわけだろうか。支離滅裂の訴えのなか、ユダは何度もこうくりかえす。「私はあなたを愛しています」、「誰よりも愛しています」、「私はあの人の美しさを、純粋に愛している」などと。

遠藤周作の『沈黙』(一九六六年)で、キチジローに裏切られて獄に入れられたロドリゴは、ユダの役割に思いを馳せないではいられない。ユダの本心を知り尽くしているはずのイエスが、なぜ長いあいだまるで何も知らないかのような振りをしていたのだろうか、と。

二〇世紀の高名な神学者カール・バルトによると、ユダは神の望んだことを実行したまでで、その行為は世の救済にとって不可欠なものである。それは、神への「引き渡し」であり、イエス自身によって「委託」されたものでもある(『イスカリオテのユダ』)。

外典『ユダの福音書』

こうしたユダ像の見直しにおいて決定打となったのは、一九七〇年代にエジプトで発見された外典『ユダの福音書』(二世紀半ば)である。その存在は、初期キリスト教の時代から知られてはいたのだが、この発見によって従来の裏切り者ユダのイメージは大きな変更を迫られることになる。

ここにおいてユダは、他の弟子たちをもしのぐひときわ傑出した人物として描かれる。キリストが「御国の秘密」を明かすのは、他をさしおいて、まさしくユダにたいしてである。そこに達することができるのは、ひとりユダだけだからである。だからこそキリストは、自分の肉体を神に引き渡してもらうという役割を、ユダに託すことになった。そのために後々ユダは非難の的になるかもしれないが、最終的には聖なる者たちの域に引き上げられる、というのだ(荒井献 2007)。

先述したようにマタイは、ユダの裏切りがイエス本人の意向によるものであるという可能性をそれとなく示唆していたのだが、そして、いみじくも芥川龍之介は鋭くそれを見抜いていたらしいのだが、『ユダの福音書』では、そうした立場がいっそう鮮明に打ち出されていた、とみなすこともできるだろう。とはいえこのテクストは、近年まで歴史の闇のなかに葬られてきたのだった。だが、フロイトの教えにならうなら、過去の記憶はけっして消えてなくなることはなく、無意識のなかに痕跡として生きつづけているものだ。

ちなみに、『ユダの福音書』では、ユダによる「裏切り」ないし「引き渡し」にかかわるエピソード、すなわち、最後の晩餐、ユダの接吻、ゲッセマネの園でのイエスの逮捕について明言は避けられている。

一方、前の章でも取り上げたヴェズレーのサント＝マドレーヌ大聖堂には、《ユダの首吊り》(2-2、一一二〇―三八年)を浮彫りにした柱頭が伝わっていて、近年、現教皇フランシスコがこれに言及したことで話題になった。そこには、首を吊るユダ(左)と並んで、若い男が背中に死者か負傷者らしき男を背負っている様子(右)がとらえられているのだが、教皇フランシスコによるとこれは、ユダの遺体を運んでいるイエスではないか、というのである。「善き羊飼い」としてのイエス・キリストは、ユダもまた救われることを切に願っている、というわけだ。

2-2 《ユダの首吊り》

この謎めいた場面についてはいくつかの説があるようだが(なかでも有力なのは、『ルカによる福音書』10.25–37でイエスが語る、追いはぎに襲われた人を救ったという「善いサマリア人」のたとえ話)、首吊り自殺したユダをイエスが背負っているというやや唐突な解釈が、まさに現在の教皇の口を通して語られること自体、その真偽のほどは別にして、近年におけるユダ復権の兆しを象徴しているといえるかもしれない。

イエスとユダのどこかクィアな関係――スコセッシの『最後の誘惑』

このように、とりわけ近代になってユダは、めでたく復権を果たしていくように思われるのだが、この点でもうひとつ最近の興味深い顕著な例として映画を紹介しておきたい。それは、ハリウッドの名監督で、イタリア移民二世を両親にもつマーティン・スコセッシ(一九四二生)がメガホンをとった『最後の誘惑』(一九八八年、原題は「キリストの最後の誘惑」)である。イエス・キリストの受難をメインに描いたこの映画のなかで、きわめて特異な役割を演じているのがほかならぬユダなのである。名優ハーヴェイ・カイテル演じるユダこそが本作の陰の主役であるといってもけっして過言でないほどだ。

映画のタイトルにもなっている「最後の誘惑」とは、十字架上で断末魔の苦しみにあえぐイエスが、気絶のなかで体験する妄想ないし白昼夢のことをさしている。終盤の約三〇分間を飾るこのシークエンスで、イエスはマグダラのマリアとめでたく結ばれて子供まで授かり、さらに彼女が逝くと今度はその姉のマルタと連れ添う。つまり、それまで満たされることのなかった性的欲望を、最後の妄想のなかでかなえるというわけである。

こうして、あくまでもこの白昼夢において、月日がたってついに死の床に伏すイエスを久々にユダが訪ねてきて、開口一番「裏切り者」と叫ぶ。それはほかでもなく自分に向けられてきた汚名なのだが、ユダはまるでこれを逆手に取るかのようにして、かつての師イエスに浴びせているのである。なぜイエスが「裏切り者」なのかというと、ユダによれば、死を恐れたために十字架に定められた運命から逃れ、普通の生活を送ろうとしたからである。それゆえイエスはまた「臆病者」で「哀れな人」でもある。いまや老いて死の床にあるイエスは黙ってそれを聞くしかなすすべがない。

実は、可憐な天使に化けた悪魔が十字架のイエスをたぶらかして、こうした荒唐無稽にして不敬ともいえる妄想に誘っているのだが、イエスとユダの通常の関係を転倒させているところに、このシークエンスの面白みがある。封切られるやたちまちこの映画は、カトリック側からもプロテスタント側からも激しい非難にさらされることになるが、それもまんざら理由のないことではない。監督のスコセッシは、もともとカトリックの司祭になることを夢見ていて、その映画の多くにキリスト教への直接的・間接的な参照が認められるが(遠藤周作原作の映画『沈黙──サイレンス』〔二〇一六年〕のことはまだ記憶に新しいだろう)、どれもかなり屈折していて異端的でさえある。

『最後の誘惑』でユダが活躍するのは、このラストの妄想のシークエンスばかりではない。

それどころか、本編全体でひじょうに重要な役割を果たしていて、イエスはいつもたいていユダに相談したり助けを求めたりする。二人のツーショットが全編にちりばめられているが、たいていはイエスがユダを見上げていて助言を仰ぐ場面である。二人が添い寝することもあれば、ユダがイエスを敵や悪魔から守ることもある。

二人は幼なじみという設定で、映画の冒頭からすでにユダは、支配者ローマのために処刑の道具(十字架)をつくる大工のイエスを「裏切り者」呼ばわりしていたのだ。というのもユダは、ローマ帝国の支配下にあってユダヤの解放を求める政治宗教集団、ゼロテ派の一員という設定だからである(この一派にイスカリオテのユダが参加していたというのはひとつの仮説で、実証されているわけではない)。つまりこの映画は、最初と最後にユダがイエスにたいして浴びせる「裏切り者」というセリフのあいだにはさまれるようにして進行していくのである。それはまるで、二〇〇〇年の恨みをユダが晴らしているかのようでもある。

さらに、イエスの最初の弟子となるのもユダで、他の弟子たち以上にイエスと親密な関係を保っている。洗礼者ヨハネのもとに行って洗礼を受けることをイエスに勧めたのもユダである。イエスが革命の道から外れたなら、殺すこともいとわないと脅すのもユダなのだ。

ついにイエスは、信頼するユダに自分を裏切るように勧め、十字架に送って救世主にしてくれと懇願することになる。イエスがユダを説得するこのシークエンスが、二人のクローズアップを交えて実に四分間もつづく。ユダを演じるスコセッシお好みの役者ハーヴェイ・カイテルと、イエスを演じるスター俳優、ウィレム・デフォーの演技の見せどころでもある。

　ユダは幼なじみのたっての願いに思い悩み苦しむが、ついにはそれを聞き入れて実行に移すことになったのだった。このあたりは、先述した『マタイによる福音書』や『ユダの福音書』における二人の関係を、ドラマチックに拡大解釈した筋書きになっていることがわかる。イエスの捕縛の場面でも、ユダは「お迎えに来ました、ラバイ〔わが師〕」といってイエスに熱く接吻する。カメラはすかさずその瞬間をクローズアップするのだが、そこにはどこかクィアな雰囲気すら漂っている(2-3)。

2-3 『最後の誘惑』より

　とはいえ、スコセッシの映画は、キリスト教の起源を必ずしもホモソーシャルな結びつきとしてとらえているわけではない。このことは、本節を閉じるにあたって最後に断わっておかなければならないだろう。その証拠にこの映画では、マグダラのマリアをはじめとして女性の弟子たちもまた最後の晩餐に参加していて、キリストの血と肉の象徴とされるワインとパンを共に食しているのである。福音書のなかでは、一二人の男の使徒だけがこれに参加したとされ、伝統的に数々の絵でもそのように描かれてきたのだが、スコセッシは、わたしの知るかぎりおそらく史上はじめて、はっきり公然と女性をこの聖餐に立ち会わせているのである。これはおそらく、フェミニズムやジェンダー論の潮流にスコセッシ組が敏感に反応した結果でもあるだろう。

もうひとりのユダ――ノーマン・ジュイソンの『ジーザス・クライスト・スーパースター』

もうひとつ、ユダの復権に一役買っている優れた映画にここでぜひともふれておきたい。ノーマン・ジュイソンのミュージカル映画『ジーザス・クライスト・スーパースター』(一九七三年)がそれである。このタイトルとは裏腹に、本作の真の主役はイエスではなくてユダではないか、とさえ思われる。もともとブロードウェイのロックミュージカルとして上演され、アメリカのカウンターカルチャーを如実に反映したこの作品において、圧倒的な存在感を放っているのは、黒人俳優カール・アンダーソン演じるユダである。というのも、その演技力と歌唱力もさることながら、ユダに独特の役割が与えられているからである。

この映画は、イエス最期の七日間の物語を撮影するために、ヒッピー然とした若い役者たちの一団が古いバスでイスラエル南部のロケ地ネケヴに到着したという設定ではじまるのだが、ユダ役のアンダーソンは最初から仲間から少し離れた位置にいて、彼らの動向をじっと無言で見守っている。こうして、ユダのやや醒めた視点で進行していくことが、幕開きから強調されるのである。

さらにタイトルバックにつづいて画面が暗転した直後、テンポのいいロックの序奏とともにカメラは、イエスを取り囲む仲間たちの熱狂を尻目にひとり乾いた裸の岩の上に腰掛けているユダの姿をロングショットでとらえる。すると、突然にカメラはズームして(これが四つの方向から四回くりかえされる)、ロダンの《考える人》然としたユダに近づいていき、イエスへの「警告」を力強く歌いはじめるその姿をクローズアップするのである。いわく、ナザレの大工の子がいまやメシアとして崇められ、本人もその気になりはじめている。彼らの加熱振りは、ローマ帝国の支配下にあって当局から危険視されているから、ほどなく弾圧されてしまうにちがいない。イエスとその仲間たちだけならまだしも、被害はユダヤの一般民衆たちにも及びかねない、云々。それがユダの心配の種なのだ。くりかえしを恐れずにいうなら、この映画の全編が、イエスのことをおもんぱかるこのユダの観点で貫かれているといっても過言ではないのだ。

できるだけ早いうちに手を打って被害を最小限に抑える、それがユダの「裏切り」の真の動機である。だからユダは、「裏切り」が発覚する最後の晩餐の後になっても、「収拾がつかなくなる言動をとる前に、もっとうまくやればよかったのに」と、イエスに言い寄ることをやめない。死を覚悟したイエスはただ黙ってそれを聞いているだけだ。そして、もちろん欠かすことができないのは、複雑な思いのユダがイエスの頬にやさしく口づけする超クローズアップのショットである(2-4)。

この映画のクライマックスは、イエスの磔刑ではなくて、ユダの首吊りである。自分の接吻を合図に捕まってしまったイエスが、大祭司カイアファ、ローマ総督ピラト、そしてヘロデ王のもとへと次々たらい回しにされ裁かれる様子をじっと見守るユダに、おのずと後悔の念がこみ上げてくる。「彼を助けたい」、「あの苦しみから救いたい」、自分はこの先「汚名にまみれることになる」、そう叫びながら銀貨を投げ捨てるのだが、時すでに遅し。

2-4 『ジーザス・クライスト・スーパースター』より

地面にうなだれた顔をゆっくりと起こしながら、クローズアップのユダはしんみりと歌いはじめる。「どうやって彼を愛したらいいのかわからない」、作詞ティム・ライス、作曲アンドリュー・ロイド・ウェバーによるこのミュージカルの全ナンバーのなかでももっとも名高い曲のひとつである。実はこの曲は、映画の中盤、やはりイエスに強く心引かれるマグダラのマリアによっても歌われていたものである(歌詞は少し異なる)。つまり、この映画では、イエスをはさんで、ユダとマグダラのマリアとがある種の三角関係にあることがほのめかされるのである。

「俺を愛してくれるだろうか、慈しみの心で」、ユダはイエスの愛と赦しを求めている。すると突然、曲想が変わり強烈なビートを刻みはじめると、絶望の淵へと突き落とされたユダは、「神に利用された」と叫びながら狂ったように駆け出し、乾いた丘の上に立つ一本の枯れ木を見つけると、腰紐で首を吊ってしまうのである。この間カメラは手持ちで、動転するユダのあわただしい動きを追いかける。

この映画が製作された一九七〇年代の初めにおいて、このユダの首吊りのシークエンスは、観客に、アフリカ系アメリカ人の公民権運動における数々の犠牲者を連想させた、という見方もある(Reinhartz ed.)。たしかにこの映画のなかで、一世紀のローマ帝国下におけるユダヤ人の境遇は、二〇世紀のアメリカにおける黒人の境遇と重ねあわされているように思われる。それゆえ、イエスの受難のみか、ユダの「受難」を描いた作品でもあるという解釈も成り立ちうるのである(Tatum)。

さらに特筆すべきは、そのユダがあたかも「復活」したかのように表現されている点である。ピラトのもとで鞭打ちにさらされて背中を血に染めた痛ましいイエスが、正面にゆっくりと向きを変えると、その映像とディゾルヴ(カットとカットを徐々に重ねあわせて次のカットへ移行する手法)で重なるようにして、純白の長衣に身を包んだすがすがしい表情のイエスへと変貌する。

すると、その視線の先には、銀白色に輝くスチールの十字架につかまって、上空からゆっくりと降りてきて、イエスと向き合うユダがいるのである。それはまるで、死を間近にしたイエスの目の前に、自殺したはずのユダが蘇ってきたかのようだ。スコセッシの『最後の誘惑』で、断末魔の白昼夢のなかにユダがイエスの前に姿を現わしたのと同じように。

そのユダは、長い袖の房飾りと腰にスパンコールのついた白いジャンプスーツに身を包んでいて、さながらラスベガスのショーに登場してきそうなプレスリー風の出で立ちである。天使を思わせる真っ白い衣装を着けた女性コーラスがユダを取り囲んでいる。ここでもユダは、イエスに「もっとうまくやれたはずだ」と持論をぶつけているのだが、イエスはそれをただ黙って遠くから見ているだけである。

この不思議なシークエンスはいったい何を意味しているのか。鞭打ちの拷問を受けたイエスが、意識の朦朧とするなかで見ている幻想のようなものだろうという解釈があるが(Baugh)、たしかにそれには一理ある。というのも、先に述べたようにこの場面への転換が、拷問を受けたイエスの半身に重なるようにしてディゾルヴで描かれるからである。しかも、この時点ではイエスはまだ十字架にかかってはいない。事実、タイトルソング『スーパースター』を熱唱するユダのコーラスの映像にはさまれるようにして、十字架を担いだイエスのゴルゴタの道行きが十数カットそれぞれ短くモンタージュされていく。この間ずっと聞こえているのは、「俺は知りたいだけだ」とくりかえすユダの歌声。こうすることで、観客がもっぱらイエスの受難のみに感情移入することをあえて避け、ユダの観点に照準を合わせているように思われる。

ラスト近く、イエスの磔刑のシーンを撮り終えたチームが、例の旧型バスに乗り込んでロケ地から引き上げるときも、ユダ(を演じた役者)は、まるで何かをやり残したかのように、複雑な面持ちで砂漠の彼方に一瞥をくれて最後に乗車する。そして静かにバスはロケ地を後にしていく。こうして、ユダの視線ではじまるこの映画は、ふたたびユダの視線を強調して幕を閉じるのだ。

ユダはなぜイエスにキスしたのか

このように、スコセッシの『最後の誘惑』でも、ジュイソンの『ジーザス・クライスト・スーパースター』でも、イエス本人というよりも、ユダの視点や複雑な心情のほうにむしろ重心がかかっているように、わたしには思われる。ユダはイエスのことを愛していて、つねにその身上を気遣っている。しかも、二人の親密さをことさら強調するかのように、どちらの映画も、ゲッセマネの園でユダがイエスに口づけするシーンでは、カメラが二人にずっと近づいていって超クローズアップでとらえる。その劇的なショットは、それぞれの映画の最大の見せ場でもあるのだ。

皆さんもご存じのように、ゲッセマネにおいてイエスが捕まる直前にユダが彼に口づけしたというのは有名なエピソードなのだが、実はこれについても福音書記者たちのあいだで若干の食い違いがある。マタイとマルコの説明によると、ユダがそうしたのは、その相手を捕まえるという合図だったとされる(『マタイによる福音書』26.48－50;『マルコによる福音書』14.44－45)。

一方、『ルカによる福音書』では、ユダがイエスに接吻しようと近づくと、イエスは、「ユダ、あなたは接吻で人の子を裏切るのか」といったとされる(22.47－48)。つまり、イエスはユダのキスを拒絶しているように読めるのである。『ヨハネの福音書』にいたっては、先述のように、そもそもユダの接吻についての記述は一切ない。

それゆえ、ここでもまた真相は闇に包まれたままなのだが、いずれにしても、いったいなぜユダがイエスに口づけしたのか、その理由は必ずしも釈然としない。マタイとマルコは、それが合図だったと説明しているが、ユダヤ教の祭司側はすでにイエスのことは知っていたはずだから、わざわざユダが彼らに合図を送る必要などなかったのではないか。おのずとそういう疑問がわいてくるのだが、福音書はそれに答えてはくれない。

では、聖書の別の個所において、広く「口づけ」というものにたいして、どのような意味づけがなされているだろうか。以下で少しそれを振り返っておこう。

「聖なる口づけ(フィレマ・ハギオン)」について単刀直入に語るのは、使徒パウロである(『ローマの信徒への手紙』16.16;『コリントの信徒への手紙一』16.20など)。教会に集う人々は、「聖なる口づけによって互いに挨拶を交わす」というわけである。

一方、『ペトロの手紙一』には、「愛の口づけ(フィレマ・アガペース)」(5.14)という言い回しが登場する。「愛の口づけによって互いに挨拶を交わしなさい」というのである。ここで「口づけ」にかかる「聖なる」と「愛の」という二つの形容は、ほぼ同じような意味で用いられているように思われる。「口づけ」は、互いの結束を高めるのに役立つのだ。この勧めはおそらく、聖体拝領や洗礼などの儀式の後で、参列者たちが互いに抱擁し合うというしきたりのなかに生きつづけている。また、伝統的にキリストやマリアのイコンや磔刑像などは、目で見るばかりでなく、直にであれ、あるいは手を介してであれ、信者たちの口づけの対象でもあった(現在でもそうした光景を見かけることはまれではない)。

宗教的でエロティックでもあるテーマと結びついた口づけの象徴的な意味をたどった面白い本、『キス、聖なるものと俗なるもの』の著者によると、こうした口づけには、仲間同士のあいさつや結束を超えた意味があるという。それは、「互いに息を注ぎ合う」という、「息によるコミュニケーション」である。キスとは、キリストがそこから入ってくる扉口であり、そのモデルとなっているのは、神がみずから形づくったアダムに「命の息」を吹きいれた『創世記』の記述(2.7)である、というのである(Perella)。

そもそも、欧米の人たちは、相手が異性か同性かにかかわらず、日本人や東洋人とくらべるとはるかに頻繁に抱擁し口づけを交わしあう。そしてそれは友愛や歓待のしるしにもなっているが、その根っ子には、(当人たちはもはや意識していないかもしれないが)こんな宗教的な意味合いがあるのだろう。

また、復活したイエスは、弟子たちに息を吹きかけて、次のように言ったとされる。「聖霊を受けなさい。だれの罪でも、あなたが赦せば、その罪は赦される」(『ヨハネによる福音書』20.22-23)。つまり、イエスの息(プネウマ)は、罪の赦しとも結びついているのである。

ここでユダに話を戻すなら、ユダヤ・キリスト教において、「口づけ」にこのような意味や役割が与えられてきたとして、福音書に語られているかぎりでのユダの口づけは、これらのいずれにも当てはまりそうにない。それは、パウロのいう「聖なる口づけ」でも、ペテロのいう「愛の口づけ」でもありそうにない。しいていうなら、「罪の赦し」に近いものかもしれないが、いずれにしても、それらが転倒したもの、つまり不実にして偽りの口づけとみなされてきたことに変わりはない。

先述のようにルカによると、ユダは悪魔に憑かれていたわけだから、もしもユダとキスをすると、その息とともに悪魔が相手に入っていくことになるだろう。ルカの伝えるように、ユダの口づけをイエスが拒んだとするなら、その理由は、こんなところにあったのかもしれない。

ユダのキスのさまざまなかたち

たしかに、一般的に中世において、ユダのキスは、キリストの身体を汚し冒瀆するものとして、かなり否定的に受け止められていたようだ(Bale)。このことは図像からもまた裏付けられる。たとえば、ピエトロ・ロレンツェッティのフレスコ画(2-5、一三一〇―一九年頃、アッシジ、サン・フランチェスコ大聖堂下院)では、口づけしようと歩み寄ってくるユダを、イエスはその右手で制しようとする仕草をとっている。バルナ・ダ・シエナ(活躍期一三三〇―五〇)の作とされるフレスコ画(2-6、サン・ジミニャーノ、大聖堂)でも、ユダの悪漢ぶりが、その極端にゆがんだ表情によってことさら際立たされている。イエスのほうはというと、これにいささかも動じることなく威厳と冷静を保っていて、その両者の著しい対比がこの絵の見どころでもある。

ところが、ジョットのフレスコ画(2-7、パドヴァ、スクロヴェーニ礼拝堂)ではやや様子が変わっている。初期キリスト教以来の図像の伝統では、正面観のイエスにたいしてユダは横顔というのが定石で、ロレンツェッティもバルナも大枠でこれに準じているのだが、ジョットは、二人をともに同じ横顔でとらえているのである。つまり、イエスはもはやそっぽを向くのではなくて、ユダにしっかりと向き合っているのだ。たしかに、気高いイエスの横顔にたいして、ユダのそれはかなり卑俗なものに描き分けられているとはいえ、イエスは、ユダのおこないを

上：2-5　ピエトロ・ロレンツェッティ《キリストの捕縛》(部分)
下：2-6　バルナ《キリストの捕縛》(部分)

拒むでも制するでも見下すでもなく、みずからの運命として本気で受け止めているように見える。二人の表情は、ニュアンスの違いこそあれまさしく真剣そのものである。ユダは、その大きなマントですっぽりとキリストの全身を覆っていて、キリストもそれから逃れようとする素振りをとることはない。

ジョットがここで描くユダは、(ルカのいう)悪魔に憑かれて裏切ったわけでも、(ヨハネのいう)「滅びの子」というわけでもないようにみえる。それはどちらかというと、ユダに向かってイエスが「友よ、あなたがしようとしていることをなすがいい」と語ったと報告している『マタイによる福音書』に近いものかもしれない。イエスは、ユダに反してではなくて、ユダとともにみずからの運命を受け入れているのだ。いずれにしても、ジョットは、ユダを一方的に悪玉扱いする趨勢には必ずしも同意していなかったのではないだろうか。少なくともこの絵からはそのように読み取ることができる、とわたしは考える。

2-7　ジョット《キリストの捕縛》(部分)

実は、ジョットよりもはるかに前に、ユダのキスのうちに複雑な心の襞を読み取ろうとした神学者がいる。

アレクサンドリアのオリゲネス(一八五頃―二五四頃)である。それによると、ユダは、師イエスについて「相矛盾した判断」に陥っていて、心の底から彼に敵対していたというわけでも、敬意をまったく欠いていたというわけでもなかった。つまり、ユダのなかには葛藤があったというのだ。

ユダは悩み、良心にさいなまれていた。彼の心のうちには、「師を引き渡そうとする邪悪な選択の心(プロハイレシス)」がある一方で、「いうなれば善良さと呼ぶことのできるようなもの」もまた残っていた。もしも尊敬する気持ちがなかったなら、接吻を装ったりはしなかっただろう。イエスにたいする「なにがしかの尊敬を保っていたから」こそ、ユダはイエスに口づけをした、とオリゲネスはいうのだ(『ケルソス駁論』II. 11)。

このように屈折したオリゲネスのユダ観は、一方的に悪の権化とみなすアウグスティヌス流のユダ観とは好対照をなすもので、正統とみなされることはなかったかもしれないが、たしかに古くからあったのだ。ジョットのフレスコ画に含意されているのも、これに近いユダとイエスとの関係のデリケートな襞であるように、わたしには思われる。

クィアな口づけ

時代がさらに下ると、ユダのイエスへの口づけの表現のうちに、どこかクィアな雰囲気を漂わせるようなものが登場することになる。たとえば、デューラーの木版画(2-8、一五一一年、『小受難伝』より)はその顕著な例である。

ユダに口づけされるイエスの両手をよく見ると、左手を軽く丸めて、そのなかに右手の人さし指を差し込んでいるのがわかるのだ。これはもちろん卑猥な仕草にほかならないから、デューラーはここで、イエスその人に、セックスを暗示するこうした仕草をあえてとらせたことになる。ウィットにも富んだこの大画家は、おそらく軽い冗談かシャレのつもりで、こんな仕掛けを絵のなかにそっと忍び込ませたのだろう。「ユダの口づけ」という、それ自体がいわくつきのテーマを絵画化するにあたって、デューラーは、性にまつわる視覚的なジョークで遊んでいるのだ。この細部に気づくか、それとも見過ごしてしまうかは、鑑賞者に委ねられている。どちらかというと目立たない表現をとることで、画家はひそかにわたしたち鑑賞者を試そうとしているように思われる。

さらに、先述したスコセッシの『最後の誘惑』やジュイソンの『ジーザス・クライスト・スーパースター』に登場する、ユダとイエスの口づけのクローズアップのショットを四〇〇年近くも前に先取りしているかのような斬新な絵も描かれている。ロドヴィコ・カラッチ(一五五五―一六一九)の作品(口絵5、一五九〇年頃、プリンストン大学美術館)がそれである。これは、わたしがトリミングした部分図ではなくて、もともと胸から上のクローズアップで描かれているの

上：2-8　デューラー《キリストの捕縛》(部分)
下：2-9　ロドヴィコ・カラッチ《ユダのキス》

である。

イエスの肌の白さとユダの浅黒さとがことさら対比されているものの、ユダはここでけっして極悪非道な輩のようには見えない。ユダの右手はイエスの首を抱き、その左手は師の胸にそっと触れている。イエスのほうはというと、右肩をはだけて白い肌をさらし、唇を軽く開けて、ユダのキスを甘んじて受け入れようとしているかのようだ。頬をやや赤らめたその表情も、そこはかとない官能性に包まれている。そのイエスの頭上には、綱の輪がまるで光輪のようにかざされている。

この絵の注文の経緯やコレクター等についてはつまびらかでないのだが、本作から漂ってくるのは、もはや敬虔な宗教性というよりも、どこかクィアなエロティシズムである。こうした雰囲気は、本作のための下絵デッサン(2-9、シカゴ美術館)においてよりいっそう際立っている。このデッサンでは、イエスを捕らえにきたユダヤ教祭司側の護衛兵たちは画面から姿を消していて、もっぱら二人の主役の表情に焦点が当てられているので、その印象が一段と強くなる。時は対抗宗教改革の真っただ中で、教会側の検閲も厳しい折だったから、画家は、衆目にさらされる可能性のより高い完成作のほうでは、いわゆる「適正(デコールム)」に配慮して、やや控えめな表現に抑えたのかもしれない。いずれにしても、スコセッシやジュイソンの映画の名シーンの起源は、カラッチのこの絵のなかにある。

一方、カラヴァッジョの作品(口絵6、一六〇二年、ダブリン、国立美術館)でも、場面は半身像のクローズアップで描かれる。ここでは、両手を前で組んだまま今にもくずおれそうなイエスを、たくましいユダがその両腕でしっかりと支えているようだ。伏し目がちで苦渋に満ちたイエスの弱々しい表情とは対照的に、ユダはみずからの意志で行動しているように見える。そこには、裏切りや偽善のニュアンスはみじんも感じられない。むしろ、イエスを励まし鼓舞しているかのようでさえある。このユダは、スコセッシが映画のなかで描いた、イエスを奮い立たせるユダの先駆でもあるだろう。

そのユダとは裏腹に、画面の左端では、おそらくイエスの弟子と思われるひとりが、怖れおののいた様子でその場からあわてて逃げ去ろうとしている。ユダをおいて「弟子たちは皆、イエスを見捨てて逃げてしまった」(『マタイによる福音書』26.56)のだ。あるいはことによると、「亜麻布を捨てて裸で逃げてしまった」という「若者」(『マルコによる福音書』14.51-52)かもしれない。たしかにカラヴァッジョの絵のなかでも若い男として描かれている。マルコはこの「若者」の名前をおそらくあえて伏せているのだが、「若い」という形容から、伝統的に、福音書記者ヨハネではないかという解釈がなされてきた。

カラヴァッジョがこの解釈のことを知っていたかどうかは不明だが、もし左端の人物がその「若者」だとすると、画家はこの絵で、イエスの「最愛の弟子」ヨハネと、「裏切り者」の烙印を捺されてきたユダとを鋭く対比させることで、大胆にも両者のステータスをそっくり転倒させていることになる。ヨハネがイエスを見捨てているのにたいして、ユダはイエスの運命に真剣に向き合っているのだ。

画面右端には、ランタンをかざしてこの劇的な瞬間に光を当てている男がいるが、カラヴァッジョはそこに自画像を重ねている。つまり、遠い過去の出来事の生き証人として自分を絵に描き込むことで、画家は、その出来事がいまだ決着しているわけではないこと、なおもアクチュアリティを有していることを示唆するのだ。

画面中央で大きなウエイトを占めているのは、強烈な反射光を放つ兵士の黒い甲冑である。あたかもそこには、絵を見ているわたしたちひとりひとりが映しだされているかのようでもある。つまりカラヴァッジョは、ユダを裏切り者と決めつけてきた鑑賞者がそこにみずからを映してみることで、反省＝反射することを促しているのだ。牽強付会という批判を覚悟のうえであえていうなら、この雄弁な甲冑という仕掛けには、カラヴァッジョのそうした願いが込められているように、わたしには思われる。

カイン＋モーセ＋オイディプス＝イスカリオテのユダ

イスカリオテのユダをめぐって、中世のヨーロッパはさらに旺盛な想像力を働かせていて、ハイブリッド極まりないユダ像が生みだされることになる。具体的には、旧約聖書のカインとモーセ、さらにはギリシア神話のオイディプス王という、文化も宗教もまるで異なる三つの名高いキャラクターが、イスカリオテのユダに接木されるのである。つまりユダの正体とは、(モーセのように)王家に拾われた捨て子であり、(カインのように)弟をいさめたために追放された亡命者であり、(オイディプスのように)それと知らずに自分の父親を殺して母親を妻にした非道の男だというのである。この貴重な証言を残してくれているのは、またしてもヤコブス・デ・ウォラギネの『黄金伝説』である。

これにならって、もう少し詳しく話のあらすじを追っておこう。裏切り者ユダに代わって一二使徒のなかに数え入れられるようになった聖マッテヤの伝記をつづるにあたって、ウォラギネはまずユダの出自と生涯から語りはじめるのである。

トピックとなるのは、ユダがイエスの弟子となるに至ったとんでもない経緯である。それによると、全民族がその子のために滅んでしまう男児を産むという悪夢が、不幸にも正夢となることを案じたある夫婦は、生まれたばかりのその子を殺すことも育てることもできないまま思案に暮れたあげく、「葦であんだ小籠に入れて、海に流した」のだという。すると、その小籠はイスカリオテという島に流れ着いて、その地の王妃に発見され、「王家の血にふさわしく大切に育てられた」。

ところが、成長して自分が捨て子であることを知ったユダは、義理の弟をひそかに殺害して宮廷を抜け出し、ローマ総督ピラトに雇われることになる。そのピラトが豊かな果樹園を所望したため、御主人のためにとユダは、この果樹園の持ち主を殺してまでそれを手に入れるのだが、もちろん相手が実父であるとは思いもよらない。褒美にピラトは、死んだ持ち主の全財産と妻をユダに与えるが、その妻が自分の実母であることもまた、ユダはもとより知る由もない。が、ほどなくそのことが明るみになるや、後悔したユダは、主イエス・キリストの教えと赦しを請うためにその弟子となったというのである。読者の皆さんもお気づきのように、ここまでですでに、捨て子のモーセ、弟殺しのカイン、父親殺しで母親との近親婚のオイディプスのストーリーが巧みに組み込まれているのがわかるだろう。

「ここまでの前置きは、外典史書からとったものである」と断わったうえで、ウォラギネは次のようにつづける。いわく、「とうてい信じられないどころか、むしろ拒否さるべき話だとおもわれるけれども、これをどうとるかは、読者の判断にゆだねておく。とにかく、主は、ユダを弟子にし、のち使徒にくわえられた」のだ(前田敬作・今村孝訳)、と。

たしかに「とうてい信じられない」ような荒唐無稽の話で、これを紹介しているウォラギネ本人も、「むしろ拒否されるべき」かもしれないなどと口を滑らせているほどである。つまり、この著者も実はこれが、ただでさえ形勢の悪い「裏切り者」ユダを、さらに三重――「捨て子」、「兄弟殺し」、「近親婚」――に畳みかけるようにして陥れるための、作り話であることに薄々気づいているようだ。とはいえ、あるいはだからこそ、当時も今も、読者の好奇心を掻き立てずにはおかない巧妙な筋書きになっていることは事実である。

ウォラギネはもちろん、モーセやカインやオイディプスの名前を伏せたまま、「外典史書」に由来するとしてこの話を紹介しているのだが、旧約聖書の登場人物とギリシア悲劇の主人公とがここで合体していることは明らかであろう。その「外典史書」とは、一二世紀中ごろに成立したとされるラテン語の『ユダ伝(ウィータ・ユダス)』である(Mackley)。カインとモーセと

2-10《捨てられて拾われるユダ》

オイディプスのとりわけ負の側面が、きわめてハイブリッドなかたちでユダの伝記のうちに組み込まれているのである。このことは、見方を変えると、ユダというキャラクターがいかに中世の人々の想像力を刺激していたかの証拠でもあるだろう。福音書記者たちが伝えてきたよりもはるかに豊かなイメージが、ユダというキャラクターのうちで響き合っているのである。

このテクストにはまた、挿絵入りの手写本も伝わっていて、たとえば『クロイスターノイブルク福音書』の一葉(2-10、一三四〇年頃、シャフハウゼン、国立図書館、Gen. 8 fol. 223v)では、両親に捨てられるユダが小籠に入れられて流され、さらにそれが冠をつけた王妃と女官たちに拾われる様子が、まるでモーセの生い立ちを想起させる図像さながらに描かれているのである。

もうひとりのユダ

ちなみに『黄金伝説』ではもうひとり別のユダが活躍する。キリアコスのユダと呼ばれている人物がそれで、キリストが磔にあったとされる十字架の発見をめぐるエピソード——いわゆる聖十字架伝説——のなかに登場する。イエス磔刑から三〇〇年近くたって、その聖なる十字架のゆくえを捜していたコンスタンティヌス帝の母ヘレナに、そのありかを教えたのがこのユダとされるのである。

これに関連して『黄金伝説』の著者ウォラギネは、二人のユダ、つまりイスカリオテのユダとキリアコスのユダとをちょうど反転した存在として描きだしている。後者に向かって悪魔に次のようなセリフを言わせているのだ。「おお、ユダよ、おまえは、なんということをしてくれたのだ。名前は同じだが、おまえのしたことは、わしのユダとは雲泥の違いだ。あのユダは、わしの意をくんでキリストを売って十字架にかけた。おまえは、わしの意にそむいてキリストの十字架を見つけだした。あのユダは、多くの人間をわしになびかせてくれたが、おまえのおかげで、わしは、せっかく手に入れた人間どもをまた失うことになりそうだ」云々、と。イスカリオテのユダが、あろうことか悪魔にだまされてイエスを裏切ったとするなら、キリアコスのユダは、殊勝にもその悪魔を裏切ったというわけだ。

かくしてこの善玉のユダは、もうひとりの悪玉とされるユダとは正反対に、こうした悪魔の

2-11　ピエロ・デッラ・フランチェスカ《ユダの拷問》(部分)

呪いを見事にはねのけてめでたく洗礼を受け、エルサレムの司教にまで上りつめた、とされるのである。つまり、一方がキリストを売って十字架にかけたとするなら、他方は聖遺物となるその十字架発見の手助けをしたことになる。

ピエロ・デッラ・フランチェスカ(一四一五頃―九二)の有名なフレスコ画連作を筆頭に、この聖十字架伝説のテーマはよく絵にも描かれてきたもので、キリアコスのユダが実在の人物かどうかは別にして、そのエピソードには、イスカリオテのユダが犯したとされる過去の罪を、別人だが同名のユダに償ってもらうという狙いがあったように思われる。

ピエロが忘れがたいフレスコ画に残しているように(2-11、一四五二―六六年、アレッツォ、サン・フランチェスコ聖堂)、キリアコスのユダは、キリスト教に改宗した皇后ヘレナの命で、乾いた井戸に閉じ込められるという拷問を受けた末に、十字架のありかを白状させられたとされる。つまり、一方的かつ強引に罪滅ぼしさせられているのである。こうしてキリスト教において語り継がれてきた二人の対照的なユダは、互いが互いの分身であり、オルターエゴでもあるような役割を担わされてきた、とみなすことができるだろう。

3 マリアとキリスト

ここまでわたしたちは、ヨハネとユダを中心に、キリストとの複雑な関係をめぐって、いかに豊かで、ときにクィアでさえある想像力が育まれてきたかをたどってきた。つづいてこの章では、聖母マリアとキリストとの奇妙な関係に目を向けてみることにしよう。不思議なことにも、マリアは処女でありながらもイエスを宿したとされるわけだが、二人が母親とその子供という関係であることに変わりはない。

しかしながら、ここでも面白いことが起こっているのである。二人は、文字どおりには母と息子なのだが、それだけではない。花嫁マリアと花婿イエスでもあれば、娘マリアと「母」イエスでもあるのだ。つまりマリアは、イエスの母にして花嫁でもあり娘でもあるということだ。いいかえるなら、マリアは自分の息子の妻にしてかつ娘でもある。くどいようだが、イエスの側からみると、彼はマリアの息子にして夫にして母でもあるということになる。想像力豊かではあるが、いったいどうして、こんなにも倒錯的とも近親相姦的とも思えるようなことが可能になるのだろうか。

娘エクレジアを生む母キリスト

新約聖書によると、教会は「キリストの体」とみなされ、「すべてにおいてすべてを満たしている方の満ちておられる場」(『エフェソの信徒への手紙』1.23)とされる。が、教会はまた母性のメタファーによっても理解されてきた。古くから教会は聖母マリアにもたとえられてきたのだ。ギリシア語とラテン語で「集会」やそこに集う人々を意味する「エクレジア」は女性名詞だから、マリア・エクレジアとつないで呼ばれることもある。

マリアに捧げられた最初の大きな教会堂、ローマのサンタ・マリア・マッジョーレ聖堂が献堂されたのは、マリアを「神の母(テオトコス)」と呼んだ四三一年のエフェソス公会議後のことである。その後も、「聖母」あるいは同じことだが、「ノートルダム」の名を冠した教会堂が次々と建設されることになる。ドイツのアーヘン大聖堂には、豪華な黄金の《マリアの聖遺物箱(マリエンシュライン)》(一二三九年奉献)が安置されているが、それは単身廊のバシリカ式教会堂のかたちをしていて、そこには、マリアの上衣や幼児イエスのおくるみや磔にされたときの腰布が保管されている。マリアの身体はここで、文字どおりエクレジア(教会)の姿に置き換えられているのである。

3-1 《イヴの誕生とエクレジアの誕生》

中世にはまた、このエクレジアが十字架のキリストから生まれ出る場面も描かれている。たとえば、写本細密画『教訓化された聖書』(3-1、一二二五―四九年、ウィーン、国立図書館、ÖNB Han. Cod. 2554 fol.2v)に見られるものがその好例である。脇腹の傷口から上半身を出しているのが、エクレジアである。彼女は王冠をかぶり、贖罪の血を受けとる杯を手にしている。まるで助産婦のようにその誕生を手助けしているのは、これまた息子のキリストその人にほかならない。

そもそも教会が誕生したのは、贖罪のためにキリストが十字架にかかったことに由来するわけだから、こうした図像はそのことをいささか字義どおりに、しかもかなりシュールに表現したものである。というのも、男性の体内から女性の体が出てきているからである。ここでは、生む身体のジェンダーが完全に転倒している。キリストが「母」とすると、エクレジアはその娘ということになるだろう。

それだけではない。息子のイエスが、母のマリア・エクレジアを生んでいるわけだから、母子関係もそっくり逆転していることになる。なぜ、こんなにも斬新だが奇抜でもあるような着想が生まれたのか。そこにはまた、数々の拷問を受けて磔にあったとされるキリストの身体に刻まれた痛ましい傷をめぐる、中世の人々の旺盛な想像力が深く関連しているのだが、これについては第5章で詳しく検討することになるだろう。

一方、このエクレジア誕生の図像は、もうひとつの図像、つまり最初の人間アダムからイヴが生まれる場面と並べて置かれることが少なくない。ご覧の図では、眠るアダムの脇腹から神が取りだしているのがイヴである。これはもちろん、神がアダムの肋骨からイヴをつくったという『創世記』(2.21–22)の記述に合致するものだが、どこか帝王切開のようなイメージにも見えなくはない(ちなみに、「帝王切開」を意味する英語の「スィーゼリアン caesarean」が、それによって生まれたと伝えられるローマ皇帝カエサルの名前に由来するように、古代や中世でもおこなわれていたが、基本的に母体は生まれてくる子の犠牲になる。母親の命も助けることができると主張した早い例は、一六世紀後半のイタリアの医者シピオーネ・ジローラモ・メルクリオである)。ここでも生むのはアダムであり、神はまるで助産婦のような役割を担っている。

このように、イヴの誕生とエクレジアの誕生とが並べられるのは、マリアが生まれ変わったイヴとみなされているからである。これと対応して、キリストもまた生まれ変わったアダムである。それゆえ絵のなかで、眠るアダムと十字架のイエス、生まれるイヴとエクレジアとが、それぞれよく似た顔立ちをしているのも偶然ではない。同様に、父なる神と子のキリストの顔立ちもまた瓜二つである。

そのアダムとイヴが楽園で犯した罪——原罪——を償うために、イエスは十字架にかかったのだった。ちなみに、子々孫々にわたって伝染していく「原罪」という考え方は、もともとユダヤ教にはなかったもので、とりわけアウグスティヌス以来のキリスト教が教会の正当化と権威付けのためにいわばでっち上げてきたものである(アガンベン『王国と楽園』)。

マリア・エクレジアの子宮

さて、エクレジアとしてのマリアのイメージを豊かに膨らませているのは、女性神秘家として名高いビンゲンのヒルデガルト(一〇九八—一一七九)である。ベネディクト会系の女子修道院長で、医学や薬草学にも通じた彼女は、数々の幻視体験でも知られるが、それらをみずからしたためた著作『スキヴィアス(道を知れ)』(一一五三年)のなかには、教会としてのマリアをめぐる独特のイメージが、挿絵とともに登場するのである(挿絵については、彼女本人が描いたものかどうか定かではないが、彼女の監督下で制作されたことは確かだとされている)。

たとえば、第二書の第三ヴィジョン「エクレジア、キリストの花嫁、信者たちの母」(3-2)を見てみよう。ヒルデガルトはその幻視体験を一人称で以下のように記述している。「わたしは、大きな町ほどもある女性のイメージを見ました」。「彼女の子宮は、網の目のように多数の穴が開いていて、そこから無数の人が出たり入ったりしていました」。すると、彼女エクレジアは叫ぶ、「受胎して産まなければならない」と。さらに以下のようにつづく。

それからわたしは、黒い子供たちが、水中の魚のように、地面近くの空中を動いているのを見ました。そして彼らは、開いている穴を通して彼女の子宮

3-2 《エクレジア》(『スキヴィアス』より)

のなかへと入っていったのです。彼女は呻きながら、彼らを自分の頭部まで引き上げると、彼らは、彼女の口から出ていったのです。〔……〕彼らの各々は真っ白い衣をまとい、穏やかな光に照らされていました(Scivias 169)。

ヒルデガルトがここで語るのは、まさしくマリアの「子宮」としての教会のイメージである。その挿絵も、このヴィジョンの記述にほぼ合致している。罪を抱えた黒い子供――魂の象徴――が、王冠をかぶったマリア・エクレジアの子宮のなかへと入ろうとしている。彼女の豊かな子宮は、「網の目」のようになっていて、すでに多くの魂であふれている。その口からは、おそらく罪を浄化されて白くなった魂が吐き出されている。

マリアの子宮は、罪深い魂を分け隔てなく受け入れ、そこで浄化したのちに、新たに吐きだす(生みだす)。先述したように、「網を打つ」という比喩は、ペテロにたいして与えられていたものだが、ヒルデガルトのヴィジョンでは、まるで「網の目」のような子宮をもつマリアがこれに取って代わっているようだ。その開かれた子宮は、受け入れて養い生みだす力を秘めている。ここにおいて救済は、受胎と出産という女性性のメタファーによってとらえられることになる。

いわゆる正統的な神学においては、マリアはその処女性、つまりは「閉ざされた」子宮が讃えられ、「閉ざされた庭(ホルトゥス・コンクルスス)」にもなぞらえられて、図像的にもしばしば囲い込まれた庭園のなかにマリアがいるところが描かれてきた。ところが、ヒルデガルトにおいて、これがきれいにひっくり返っているのである。この点は特筆に値する。マリアの子宮は、封印され閉じられたものであるどころか、多孔質で流動的で浸透性のあるものへと大きく変貌しているのだ。

女性性がイヴの末裔として、身体的にも精神的にも貶められ、「モンストラム」すなわち「怪物」や「奇形」にすら比較されていた中世の時代にあって、あるいはまた、月経中の女性とのセックスは相手の命まで奪う危険性があるとみなされていた時代にあって、結婚も出産も未経験だったが医学・生理学に通じていたヒルデガルトが、多孔質で浸透性に富んだものとして「子宮」をイメージしていることは、今日フェミニズム神学の研究者のあいだで、画期的で革新的なものとして改めて評価されている(Lee)。

3-3 《神秘の身体》(『スキヴィアス』より)

3-4 《キリストとエクレジアの結婚》(『スキヴィアス』より)

同じく『スキヴィアス』第二書の第五ヴィジョンでは、マリア・エクレジアのイメージが「神秘の身体」として登場する(3-3)。その「雪のように白くて、水晶のように透明」に輝く巨大な姿は、明るい光に包まれていて、胸元の真ん中に「赤いチュニックをまとった美しい乙女」を抱いている。そして「この乙女を囲むようにして、大勢の人々が立っている」(Scivias 201)。ここでもエクレジアは、包容力のある母性に結びついているのであり、救済の対象としてとりわけ女性がクローズアップされる。

つづく第六ヴィジョン(3-4)は、先の『教訓化された聖書』の図とも重なるところがある。十字架のイエスの傷口から生まれでて、いまや全身をあらわにしたエクレジアは、そのイエスの傷から贖罪の血を杯で受け取っている。その血はまた彼女の頭部にも吹きかかっている。そして「彼女〔エクレジア〕は、天なる父の意志により、彼〔神の子〕と幸福な婚約によって結ばれ、彼の体と血を与えられた」(Scivias 237)のだという。

ここで語られるのは、イエスとエクレジアとの婚約にして結婚という超現実的なヴィジョンである。つまり、イエスが花婿とするなら、教会としてのマリアはその花嫁ということになる。母マリアを生んだ息子キリストが、ジェンダーと世代をまたぐようにして、今度はその娘にして実のところは母を妻とする、というわけである。

総じて神秘的なヴィジョンなるものは、どこか不可解で現実離れしたものではあるのだが、なかでもこれは、父と娘、そして母と息子をめぐる近親相姦的でマザーコンプレックス的なニュアンスさえ感じさせないではおかないから、精神分析に訴えたくなる願望にも駆られてしまうだろう。

花嫁マリアと花婿イエス

とはいえ、これは必ずしもヒルデガルトの独創というわけではない。マリアが、自分の息子の「花嫁」でもあるという奇抜な連想は、実のところ古くから働いていたのである。もちろんあくまでも比喩的な意味においてではあるとしても、いったいどうしたらこんなことが可能になるのだろうか。おおよそ多神教においては、神々たちの近親婚や近親相姦はさして珍しいことではないが、キリスト教は原則的には一神教であり、しかもマリアは人間であって、キリストはたしかにその胎内から生まれているのだ。

発端のひとつは、まさしく使徒パウロにあるように思われる。『エフェソの信徒への手紙』(5.24-25)のなかで彼は、次のように述べているのだ。「教会がキリストに仕えるように、妻もすべての面で夫に仕えるべきです」と。この(悪名高い)セリフは、よく知られているように、キリスト教における男性優位と家父長制の元凶として、とりわけフェミニズムから鋭く批判されてきたものである。

とはいえ、教会とキリストの関係を妻と夫の関係に置き換えている以上、教会が妻で、キリストが夫に対応することになるわけだ。しかもパウロはつづけて、「夫たちよ、キリストが教会を愛し、教会のために御自分をお与えになったように、妻を愛しなさい」という。つまり、キリストと教会とは、妻と夫と同じように愛によって結ばれている、というわけである。

さらにパウロによると、信者はキリストの「花嫁」のような存在である。「あなたがたを純潔な処女として一人の夫と婚約させた、つまりキリストに献げたからです」(『コリントの信徒への手紙二』11.2)。ただしこうした婚姻のメタファーは、たとえば新興宗教の合同結婚式などのように、乱用・悪用される可能性がないわけではないから、危険な側面をもつことは否定できないだろう。

こうしたパウロの言葉にさらに絡んでくるのが、旧約聖書のなかでもきわめて特異でエロティックでさえあるテクスト、祝婚歌『雅歌』とその解釈にまつわる伝統である。そこに謳われるのは、「花嫁(スポンサ)」と「花婿(スポンスス)」の愛のテーマである。「どうかあの方が、その口のくちづけをもって／わたしにくちづけしてくださるように」、愛とエロスの限りない源泉でありつづけてきた『雅歌』はこうはじまるのだ。

ここで「あの方」とは「花婿」、「わたし」は「花嫁」のことである。さらに「花嫁」は、「お誘いください、わたしを。／急ぎましょう、王様／わたしをお部屋に伴ってください」(1.4)などと、何度も「花婿」をけしかけて誘い出す。さらに、「恋しい方はミルラの匂い袋／わたしの乳房のあいだで夜を過ごします」(1.13)とか、「衣を脱いでしまったのに／どうしてまた着られましょう」(5.3)などと、ためらいのない言葉で愛の行為を語るのも「花嫁」である。このように『雅歌』は、聖なるものとセクシャルなもの、アガペーとエロスとの境界線が限りなくぼやけてくるテクストなのである。

では、『雅歌』のなかの「花嫁」とは誰で、「花婿」は誰なのか。キリスト教では、「花嫁」が教会(エクレジア)に、「花婿」はイエス・キリストに対応するとみなされてきたのだが、その解釈は早くはオリゲネスの『雅歌注解』にさかのぼる。その「序文」の書き出しからいきなり彼は、「この花嫁は、神のロゴスにかたどって造られた魂とも、教会ともとれますが、心から花婿に恋い焦がれています」というのである。オリゲネスにとって「花嫁」とは、「教会」でもあれば、信仰する個々の魂でもありうる。

しかも興味深いことに、このアレクサンドリアの神学者によれば、「聖書にエロースと言われていようと、アガペーと言われていようと、たいした違いはありません」という。つまり、「聖書は、愛(エロース)という言葉が読む人のつまずきとなることのないよう配慮し、まだしっかりしていない人のために、世の識者がエロース(渇きとか愛)と呼んでいる愛を、一層適切な表現としてアガペー(愛)という言葉を用いて表現しているようです」(小高毅訳)、というのである。エロスとアガペーの使い分けは、いわば便宜的なものに過ぎない、というわけだ。

もちろん、「アガペーという言葉の方が高く掲げられている」のは確かとしても、エロスとしての愛とアガペーとしての愛のあいだに必ずしも厳密な境界線が引けるわけではない、ギリシア哲学とりわけプラトンにも精通したオリゲネスはそう考えている。あるいは、エロスを排除することはできない、といいかえてもいいだろう。オリゲネスの鷹揚さと寛容さを示すとともに、そのプラトン主義的な性格をうかがわせる一節である。

仲睦まじく抱き合ったり口づけを交わしたりする「花嫁」と「花婿」、つまりはマリアとイエスは、古くから手写本の挿絵にもなってきた。たとえば、『アラルドゥス聖書』の色彩豊かで美しい写本細密画(口絵7、一〇九七年頃、ヴァランシエンヌ、市立図書館)では、二人はまだはっきりと口づけを交わしあってはいないものの、互いの両腕で固く抱き合っている。しかも二人の頭部は、同じひとつの十字架の光輪に包まれていて、その結びつきの固さが際立たされている。花婿のほうが花嫁より心持ち若く見えるのは、イエスとマリアとが意識されているからであろう。

一方、ケンブリッジのキングス・カレッジに残る、イングランドの教会博士ベーダ・ヴェネラビリスの『雅歌注解』の手写本の挿絵(3-5、一一三〇年頃、MS 19 f.12v)では、それぞれ光輪は別ながら、「花嫁」と「花婿」が互いの唇を重ね合っている。まさしく『雅歌』の冒頭にある、「どうかあの方が、その口のくちづけをもって／わたしにくちづけしてくださるように」という瞬間がとらえられているのである。母マリアと子イエスとの母子愛ならまだしも、たとえ比喩的で神秘的な意味においてであるとしても、二人は妻と夫でもあるというのだから、こうした想像力の特異さには改めて驚かされないではいない。

『雅歌』とともに、「花嫁」と「花婿」の愛と解釈されてきたものに、『詩編』(45)に謳われた王と王妃の愛、そして『ヨハネの黙示録』のなかの「子羊の婚礼」(19.5-8)のヴィジョンがある。後者において「子羊」とはもちろんイエスのこと。その婚礼の相手は、「新しいエルサレム」でもあれば、エクレジア(教会)でもありうる。

このテーマはまたしばしば数々の黙示録写本のなかで描かれてきた。たとえば『ドゥース黙示録』(3-6、一二七〇年頃、オックスフォード、ボドリアン図書館、Ms180)では、画面の中央、顕現するキリストの下で、「花嫁」が子羊の顎を撫でている。その両隣には、天使によってこの

上：3-5　《花嫁マリアと花婿イエス》
下：3-6　《子羊の婚礼》

神秘のヴィジョンにいざなわれる預言者ヨハネが描かれているが、右の天使もまたヨハネの顎を撫でている。ちなみにこのいわくありげな仕草は、エロティックな関係を暗示するもので、サロメの踊りにご満悦のヘロデ王のテーマ(3-7、一一二〇年頃、トゥールーズ、オーギュスタン美術館)などでもお目見えしている。この仕草に込められた性的な内包は、当時の鑑賞者にはおなじみのものだったと思われる。

3-7 《ヘロデとサロメ》

ジェンダーをまたぐ「花嫁」

「花嫁」としてのマリア・エクレジアと「花婿」としてのキリストという解釈をさらに推し進めるのは、シトー派の修道士で神学者のクレルヴォーのベルナルドゥス(一〇九〇―一一五三)による『雅歌について』である。そこには、たとえば次のような表現が頻出している。「花嫁はしきりに、花婿キリストの御顔に思い焦がれています」(第二七説教)。「花嫁の激しい望みに心を打たれた花婿は、もうこれ以上花嫁への来訪を遅らすことができません」(第五一説教)。「神への愛に燃え盛っている花嫁、内面に燃え狂う激烈な愛の炎を静めてもらわないと、もうどうにもならない」(第六七説教)、などといった具合に(山下房三郎訳)。それはまたいみじくも「恋患い」とも呼ばれる。つまりここでもまた、アガペーとエロスとの境界が限りなくぼやけているように思われるのである。

しかも、「わたしたちの母なる教会」が「花嫁」だとすると、男女を問わず信仰する個々の魂もまた「花嫁」とみなされうるだろう。いわく、「花婿は御言葉、花嫁は霊魂です」(第七四説教)。「御言葉」すなわち「ロゴス」とは、キリストの別名にほかならない。つまり「花婿」イエス・キリストにたいして、信者たる「花嫁」はジェンダーをまたいで女性のみならず男性でもありうるのだ。

事実、ベルナルドゥスは自分をあたかも「花嫁」になぞらえるかのごとく、次のように述べている。「この愚かなわたしのところにも、花婿でいらっしゃる御言葉がおいでになったのです。しかもただ一度だけではありません。しばしば、わたしのうちにお入りになったのです」(第七四説教)。「花婿」である「御言葉(ロゴス)」が、「花嫁」である「わたしのうちにお入りになった」とは、もちろん、聴覚的な意味においてであることにまちがいはないのだが、身体的な用語が使われているため、いやがうえにも読者の想像力を掻き立てないではいない。こうしたジェンダーの交差にかかわる諸相については、後ろの第Ⅱ部でもう少し詳しく検討することになるだろう。

『雅歌』の「花嫁」と「花婿」をめぐってさらに踏み込んだ拡大解釈をしているのは、親しみやすい神学者として知られていたオータンのホノリウス(一〇八〇頃—一一五七頃)で、その著『雅歌講解』では両者の愛が身近な例を挙げて解説されている(村上寛による試訳を参照)。ホノリウスによると『雅歌』に謳われた「愛(アモル)」は五つの段階を踏んでいる。すなわち、「一瞥」、「挨拶」、「接触」、「接吻」、「行為」である。つまり、愛する人を見て、言葉を交わし、体に触れて口づけし、最後に肉体的に結ばれる、というわけである(ラテン語でも「する」という抽象的な動詞は、性行為を意味することもあるようだ)。それはまるで具体的に恋の手ほどきをしているようでもある。

この愛の五段階は、それぞれ順に、神とアブラハムとの契約、神がモーセや預言者たちを通じて語りかけること、神がキリストとして受肉すること、キリストが復活したこと、最後に天の国においてひとつになることに対応する。つまり、面白いことに『雅歌』の「花嫁」と「花婿」の愛は、世俗的な愛の作法でもあれば同時に救済論でもあるということだ(Astell)。いずれにしてもホノリウスは、より具体的な身体的行為として『雅歌』の愛を語ることを、けっしてためらってはいないのである。

そもそも、たとえメタファーとしてではあるとしても、神の愛がまったく性愛としての局面を欠いているかというと、必ずしもそうとはいえない。たとえば同じ旧約聖書の『エゼキエル書』(16.7-8)において、神は、「成熟して美しくなり、胸の形も整い、髪も伸び」て「愛される年ごろになっていた」娘をエルサレムの民になぞらえ、「お前に誓いを立てて、契約を結び、お前は、わたしのものになった」と告げているのである。

ある研究者によると、神をセックスレスとして表象することは、家父長的なイデオロギーにとってむしろ問題を孕むことになるという。なぜなら、家父長制に権威と特権を与えてきた神がセックスレスだとすると、男子によって家系をつないでいくという基本原則そのものが揺らぐことになりかねないからである(Eilberg-Schwartz)。『雅歌』を筆頭にして、とりわけ旧約聖書のなかに性愛への言及がなくはないとするなら、そのひとつの理由はたしかにこんなところにあるのかもしれない。

母マリアと子キリストの結婚

さらにとりわけ一三世紀以降のマリア信仰の高まりとともに、「花嫁」マリアと「花婿」イエスのカップルは、いっそう豊かでなまめかしくさえ見えるような図像によって育まれ寿がれることになる。

まず一枚の絵をご覧いただこう。中央に《聖母の被昇天》(口絵8、サン゠ジャン゠カップ゠フェラ、ヴィラ・イル＝ド＝フランス)、両翼にマリア伝八場を配した板にテンペラの三連画で、一三〇〇年前後に描かれ、中部イタリアの古都スポレートの教会堂の祭壇正面を飾っていたことがわかっている。作者は不明だが、同じ手になるとおぼしきいくつかの作品とともに、「チェージの画家」と匿名で呼ばれている。

天使たちの支えるマンドルラ(光輪)のなかで仲睦まじく寄り添いあっているのは、いうまでもなく「花嫁」マリアと「花婿」キリストである。マリアは死後天にのぼってイエスに迎え入れられたところなのだ。花婿は裸足で、その両足と両手には受難の跡を示す釘穴がうっすらと確認できる。花婿は花嫁の肩に左手を回してそっと抱き寄せ、花嫁はまるで甘えるかのように花婿の左肩に頬を預けている。これは、ほかでもなく『雅歌』の記述、「あの人が左の腕をわたしの頭の下に伸べ／右の腕でわたしを抱いてくださればよいのに」(2.6; 8.3)や、「荒れ野から上って来るおとめは誰か／恋人の腕に寄りかかって」(8: 5)を踏まえたものである。

花婿がまっすぐにわたしたち鑑賞者のほうを眼差しているのにたいして、花嫁は心なしか恥ずかしそうにしている表情にも見える。何よりも艶っぽいのは、華やかな衣の下に隠れているとはいえ、花嫁の右脚が花婿の股間にしっかりと重なっているところで、これについては『雅歌』にも言及はない。

この絵が醸しだすそこはかとないエロティシズムは、たとえば、同じ主題を扱った一二世紀のローマのモザイク画(3-8、一一四〇―四三年頃、ローマ、サンタ・マリア・トラステーヴェレ聖堂)と比較するならいっそう歴然としてくる。ここでは、天上の玉座にすわる栄光のマリアとキリストは、あくまでも威厳に満ちた出で立ちで信者に対峙している。マリアは、「あの人が左の腕をわたしの頭の下に伸べ/右の腕でわたしを抱いてくだされればよいのに」と刻まれた銘を手にしているのだが、実際にはこのモザイク画の表現はずっと控えめである。

3-8 《栄光のキリストとマリア》

これとくらべるとはるかに斬新で大胆でさえある「花嫁」と「花婿」の愛の図像を最初に描いたのは、実は「チェージの画家」と匿名で呼ばれているこの画家ではない。かのジョットの師でもあった偉大な先駆者チマブーエ(一二四〇頃―一三〇二頃)である。残念ながら、損傷が激しいために判読が困難になっているとはいえ、この画家がアッシジのサン・フランチェスコ大聖堂の上院内陣に描いたフレスコ画(3-9、一二八〇年代)が、「チェージの画家」の板絵のお手本になっているのである。

色彩にいっそうの輝きを与えるためにチマブーエは、顔料に鉛白を混ぜて描いたのだが、これが災いして、その鉛白がほどなくして酸化しはじめたことで、望まれた結果とは裏腹に黒ずんでしまったのだった。いまやそれは、写真のネガを見ているような印象を与える痛ましい状態である。とはいえ、目を凝らしてみるなら、「チェージの画家」が踏襲している特徴がすでにチマブーエのフレスコ画のなかに先取りされていることがわかる。

この人間味と妖艶さにあふれる図像が当時いかに人気を博したかは、たとえば、同じくウンブリア地方に伝わる次のような作例からも推測できる。ひとつは、ペルージャの町のサンタ・マリア・ディ・モンテルーチェ聖堂(かつてのフランチェスコ会女子修道院)のフレスコ画の断片(3-10)、もうひとつは、スピアーコのベネディクト会サクロ・スペーコ修道院(「聖なる洞窟」という意味)の同じくフレスコ画(3-11)である。ジョット派とシエナ派をかけあわせたような折衷様式で描かれたこれらにおいても、マリアとイエスは、母と子というよりも、文字どおり「花嫁」と「花婿」として仲睦まじく寄り添っているのである。

フランチェスコ会とベネディクト会という会派こそ違え、これらのフレスコ画がいずれも修道院付属の教会堂のために描かれている、というのはおそらく偶然ではない。先述のように、『雅歌』の「花嫁」と「花婿」の愛を、信仰の魂とキリストとの関係になぞらえる解釈は、修道院の環境のなかで培われてきたものなのだ。

フランチェスコ会のご意見番ボナヴェントゥラ(一二二一—七四)もまた、「純潔な愛によってキリストに結ばれ」、「キリストの抱擁によって」高く掲げられた愛の模範を、「太陽よりも美しい」、「花嫁」マリアのうちに見ていた(『マリア神学綱要』)。

さらに、聖書が語っていないマリアの死とその後の顛末について、「聖母マリアの被昇天」という章をわざわざ割いて詳しく論じているのは、ドミニコ会修道士ヤコブス・デ・ウォラギネの『黄金伝説』である。それによると、聖母は死しても、「肉体もたましいもすこしもそこ

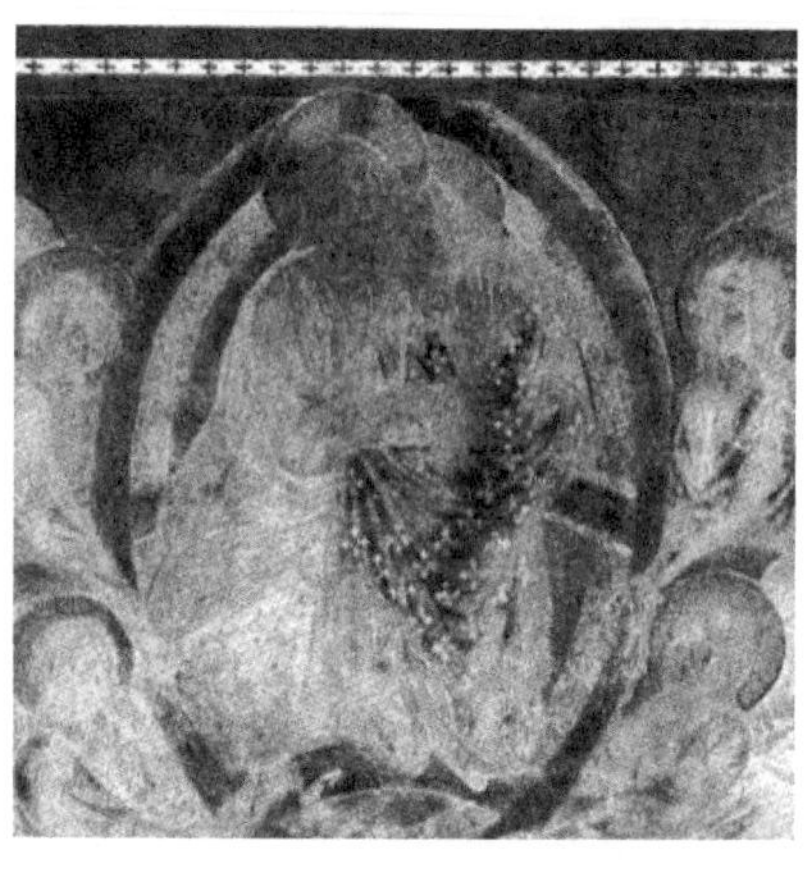

上：3-9　チマブーエ《聖母の被昇天》(部分)
下：3-10　「スビアーコ祭壇画の画家」(帰属)《聖母の被昇天》(部分)

なわれずに」、「大きな栄誉と栄光に包まれて」、「大きな喜びとともに」天にのぼる。

聖母はまた「天の花嫁」とも呼ばれ、その被昇天は、「天の花嫁の部屋にお入りになりました」という具合に、いみじくも結婚の初夜の比喩で語られる。そこはまた同時に「花婿のお部屋」にして「主のお館」でもある。つまり、自分の「息子」イエスの部屋である。

3-11 「スピアーコ祭壇画の画家」(帰属)《聖母の被昇天》

「さあ、あなたから生まれた者のところへおいでください。〔……〕神のひとり子の家にいっしょに住んでください。あなたの息子のもとに早くおいでください」、というわけだ。さらにウォラギネは、生理学に訴えるようにして、「イエスの肉体は、マリアの肉体にほかならない」とまで言い切る。「母の身体が子であるならば、当然子の身体は、母である。それは人格の一体性ではなく、肉体的自然の一体性である」(前田敬作・西井武訳)、というのだ。
こうして、マリアの栄光はその「被昇天」によって極まるわけだが、ここにおいてマリアとイエスの愛は、本来の母子愛をはるかに凌駕して、女性性/男性性、肉体/精神の境界にも揺さぶりをかけてきたのである。しかもマリアの存在は、三位一体という男性中心的な教理をも揺るがしかねない力があるのだが、これについては最後の第6章で検討することにしたい。

Ⅱ　交差するジェンダー

4　もしもキリストが女性だったら

救世主と呼ばれるキリストは、なぜ男であって女ではないのか。アダムとイヴ以来の人間の罪——原罪——を償うべく十字架にかかったとされるのが、男ではなくて女だったとして、いったいどこが悪いというのか。

女性のキリスト——「クリスタ」

あたかもそう言外に匂わすかのように、名詞「クリスト」を女性形にした《クリスタ Christa》というタイトルで一九七五年にブロンズ彫刻(4-1)を発表したのは、イギリスの女性アーティスト、エドウィナ・サンディーズ(一九三八生)である。最初はロンドンの画廊で、つづいてローマやワシントンでも公開されて話題を呼んだ。時はまさにフェミニズム批評の隆盛期で、ジェンダー論の観点から聖書の読み直しが進んでいく時代でもあった。

その作品では、胸もあらわな裸の女性が、茨の冠をかぶってうつむき加減で十字架にかかっている。全身は五フィート(約一・五メートル)、広げられた両腕は四フィート(約一・二メートル)の大きさだから、サイズの面でもかなりの存在感がある。ブロンズの表面はあえて滑らかに磨かれることなく、ごつごつとした肌触りを残したままで、全身の皮膚に痛々しい受難の跡を刻印させているようにも見える。キリストが受けたとされる苦痛は一時のことであったが、この十字架上の「クリスタ」は、さながら二〇〇〇年もの苦しみに耐えてきたかのようでもある。

4-1 エドウィナ・サンディーズ《クリスタ》

それから十数年後、今度は歌手のマドンナ(一九五八生)が、一九八九年にリリースした名曲「ライク・ア・プレヤー(祈りのように)」のプロモーションビデオのなかで、まるでみずからを「クリスタ」になぞらえたかのような演出で登場することになる。赤く燃え盛る何本もの十字架を背に、このイタリア系移民二世の大スターは、その両手に磔のキリストと同じ傷——聖痕——を刻印させ、黒いスリップ姿のまま、その肩紐が今にもずり落ちそうになるのもおかまいなく、髪を振り乱して

4-2　マドンナ(2006年のツアーより)

歌い踊ってみせるのである。

そもそも「マドンナ」とは、処女にして神の子を宿したとされる純潔の聖母マリアのことだが、二〇世紀末のマドンナは、そんなメルヒェンのような神話をぶち壊しにかかっているかのようでもある。案の定、このビデオはカトリック教会の顰蹙を買ったのだった。

とはいえ、マドンナ側は引き下がらない。二〇〇六年のツアー「コンフェッションズ(告解)」では、観客の意表をつくように、わざわざ茨の冠までつけて、ミラー状の十字架にかかった姿――まさしく「クリスタ」――で登場し、一九八六年の曲「リヴ・トゥー・テル」を熱唱したのだった(4-2)。「男は千もの嘘がつける／わたしはそれを教訓としてきた／その秘密を生きているうちに話せたらいいと思う／その時まで、それはわたしの内で燃えあがる」云々、と。ちなみに、ここでかりに「教訓」と訳した原語は「レッスン」で、この語には「礼拝中に読まれる聖書の一節」という意味もある。

このパフォーマンスもまた「瀆聖」と酷評されることになるが、彼女にとってみれば狙いはまさしくそこにこそあったのだろう。イタリア系移民の父とフランス系カナダ人の母を両親にもち、幼いころからカトリックの環境のなかで育ったこの大歌手は、おそらくキリストのことは好きなのだが、教会は苦手のようである。

誰もが自分の十字架を背負っている、そう教えたのはほかでもなくイエス・キリストその人であったから、その限りでは誰が十字架にかかろうと問題はない。実際、みずからの死と復活を予見したイエスは、弟子たちにこう告げたのだった。「わたしについて来たい者は、自分を捨て、日々、自分の十字架を背負って、わたしに従いなさい」(『ルカによる福音書』9.23)。しかしこれを比喩的にではなくて、むしろ字義どおりに表現したところに、サンディーズやマドンナの挑発の意図があったといえば、強引に聞こえるだろうか。

さらに瀆聖という点でもっと過激な十字架像を残しているのは、ベルギーの画家フェリシアン・ロップス(一八三三—九八)である。そのパステル画《聖アントニウスの誘惑》(口絵9、一八七八年、ブリュッセル、王立図書館)では、十字架にかかっているのは、キリストではなくて、グラマーな裸の女性である。肝心のキリストは、まるで彼女に場を奪われてはねのけられているかのようになっていて、今にも地上に倒れ落ちそうである。

彼女の頭上には、「EROS(エロス)」の札がかかっているが、これは、十字架のキリストに掲げられた四つの頭文字「INRI(ユダヤの王、ナザレのイエス)」のもじりである。こんな

ところにもロップスの辛辣な皮肉が利いている。長い金髪をなびかせる彼女は、不遜な笑みを浮かべているようにすら見える。また十字架の背後からは、赤い衣をつけて角を隠しもつ悪魔がにらみつけるようにして、倒れるキリストの腰を支えている。

4-3　ロップス《聖アントニウスの誘惑》のための習作(部分)

　実はこの場面は、砂漠の隠者アントニウスを悩ませ、さいなんでいるエロティックな妄想を描いたもので、絵のなかでその姿は、十字架の手前で驚愕するような様子でとらえられている。このテーマ「聖アントニウスの誘惑」は、古くから文学や演劇や美術のテーマとして好まれてきたもので、ヒエロニムス・ボス(一四五〇頃―一五一六)やミケランジェロらの作品はよく知られている。また、ロップスの絵より少し前、一八七四年にギュスターヴ・フローベールも小説『聖アントワーヌの誘惑』を発表したところであった。とはいえ、それらにおいては、この隠者がいかに悪魔の誘惑に打ち克つかが主題となるので、ここまであからさまにセクシャルで瀆聖的なモチーフが表面化することはない。

ロップスはまた、この絵のための習作(4-3、一八七八年、パリ、マルモッタン美術館)も残しているが、ここでは、隠者アントニウスの姿は省かれていて、透明な下着で下半身を覆い、黒いスリップで半裸の上半身をこれ見よがしにさらす、十字架上の女性の姿だけが描かれている。この絵の彼女はさながら、歌手マドンナを一〇〇年以上も前に先取りしているかのようである。

十字架のイエスの異性装

ここまで見てきたのは、一九世紀末より後の近現代の作例で、年代的には、ニーチェが「神は死んだ」と宣告した時期とも緩やかに重なっている。そしてそれらが示しているのは、死んだのはどちらかというと男性としての神だ、ということである。

ところが、意外に思われるかもしれないが、女性が男性に成り代わって十字架にかかるか、あるいは、十字架のイエスがまるで女性に変装しているようにみえるといった、荒唐無稽でトランスジェンダー的なストーリーは、それよりもはるか以前、中世から近世のキリスト教徒たちの想像力を大いに刺激してきたものでもあったのだ。

たとえば、空想上の民俗聖人ウィルゲフォルティスをめぐる伝承がその典型である。ポルトガルの敬虔な十代の王女が、父親の意向で強引に、シチリア島の非キリスト教徒の王のもとに嫁がされそうになる。しかし、彼女はもちろんそんな結婚などみじんも望んではいない。ただし、父親の命令は娘にとって絶対的である。彼女にできるのは、けなげにも純潔の誓いを立てて、事態が進まないことをひたすら神に祈ることぐらいである。

そんな彼女の祈りが通じたのか、ほどなく彼女の顔に髭が生えはじめ、めでたく婚約は解消となるのだが、これに怒った父親は、あろうことかそのわが子を十字架にかけてしまったというのである。つまり、若くして髭の生えた処女が、ドメスティック・ヴァイオレンスの犠牲になって磔にされるというストーリーである。

もちろん、普通ではありえない話なのだが、民話や伝承とはえてしてそうしたものであろう。また、揺るぎない家父長制の力や、処女崇拝の大きさを証言している話でもある。彼女は、みずから体を張って、家父長制の権威に抵抗しているわけだ。一九世紀の初めに編纂された有名なグリム童話のなかにも、「憂悶聖女」のタイトルでこれに似た話が収められているので、髭の聖人乙女の知名度と人気のほどがうかがえる(一八一五年の初版では収録されていたが、一八一九年の第二版以降は、あまりに「ウィルゲフォルティス」に似ているということで除外された)。

「ウィルゲフォルティス」という命名は、ラテン語で「強い処女」を意味する「ウィルゴ・

フォルティス」に由来すると考えられている。また、ヨーロッパの各言語には彼女の別名があって、ドイツでは「キュンマーニス Kümmernis」、イングランドでは「アンカンバー Uncumber」、フランスでは「デバラス Débarras」、スペインでは「リベラーダ Liberada」、イタリアでも「リベラータ Liberata」などとも呼ばれてきた。これらの呼び名は、いずれも彼女の運命にかかわるもので、直訳すると、独語では「心配の種」、英語と仏語では「厄介払い」、西語と伊語では「解放された女」という意味がそれぞれ対応する。

その彫刻や絵画もまた、一四世紀から一八世紀までのものが、比較的数多く残されている。

4-4《聖ウィルゲフォルティス》

試しに"Saint Wilgefortis"でインターネット検索をかけてみていただくと、ヨーロッパの各地——とりわけ北方——の教会堂に彩色の木彫や板絵として伝わり、また写本などにも盛んに描かれてきたことがよくわかる。たとえば、オーストリアのグラーツの教区博物館にある一八世紀の木彫(4-4)や、ベルギーとの国境に近い北フランスの町ヴィッサンのサン＝ニコル聖堂に伝わる木彫、さらにボーヴェのサンティエンヌ聖堂に飾られた同様の作例などはその典型である。

たいていは、鑑賞やコレクションのために制作されたというより、無名の彫刻師や絵師たちによってつくられて、地方の町の小さな教会堂に飾られてきたもので、それだけにいっそう、一般の信者たちの篤い祈りの対象となっていたことが想像される。とりわけ、そのストーリーが示しているように、強権的な父親や夫の虐待に悩まされる妻や娘たちの信仰を集めてきたようだ。

いずれの作例も、きれいに彩色されているが、豊かな髭をたくわえたその容貌は、ご覧のようにたいていの場合、壮年の男のそれで、ウィルゲフォルティスの伝承にあるのとは裏腹に、どうひいき目に見てもうら若き乙女からはかけ離れている。しばしば精悍（せいかん）なその顔は、はっきりと女性のものとわかる衣装や、引き締まったウエストとは、きわめて対照的である。地方色あるいはフォークロア色豊かなそのさまはまるで、壮年の男が異性装しているようにさえ見えてくる。

無名の作者が多いなか、数少ない例外にヒエロニムス・ボスが描いた三連画（4‐5、一五〇〇年頃、ヴェネツィア、アッカデーミア美術館）が伝わっている。その注文や制作にまつわる詳細は不明であるが、当時からすでにヴェネツィアの貴族で枢機卿でもあったドメニコ・グリマーニが所有していたところから、評判のフランドルの画家に発注されたものと推定されている(Slatkes)。ここでボスは、キリスト磔刑の構図をはっきりと踏まえて、うっすら髭を生やした若い女性が十字架にかかる様子を描いているが、これはどちらかというと例外的な作品である。かつては、コルシカの聖女ジュリアの磔刑とみなされていたこともあるようだが、現在では、伝承のウィルゲフォルティスとする説が有力である。

4-5 ヒエロニムス・ボス《聖ウィルゲフォルティスの磔》(部分)

一方、とりわけ一六世紀以降、自然の驚異にたいする好奇のまなざしから、いわゆる多毛症の女性の肖像画が描かれることがあった。ボローニャの博物学者ウリッセ・アルドロヴァンディ(一五二二—一六〇五)の『奇形怪物誌(モンストゥルム・ヒストリア)』には、「狼男」や「人面鳥」などに交じって、多毛症の少女の挿絵(4-6)が収録されている。ウィルゲフォルティスをめぐる伝承の背景には、こうしたいわゆる多毛症の少女たちの存在があったとも考えられるだろう。

同じくボローニャの女性画家ラヴィニ

4-6　《毛深い少女》（アルドロヴァンディ『奇形怪物誌』より）

ア・フォンターナ（一五五二―一六一四）も、《アントニエッタ・ゴンザレスの肖像》（口絵10、一五九五年、ボローニャ、ブロワ城）で、顔一面が毛で覆われたいたいけな少女を描いている。しっかりと両眼を開けて軽く微笑んでいるような表情の彼女に、画家はむしろやさしいまなざしを注いでいるようにみえる。

ウィルゲフォルティスのモデル――ルッカの《聖顔》の異性装

さて、ローマ教会によって正式に列聖されたわけではないにもかかわらず、なぜこんな異性装まがいの民俗聖人が、広く大衆に好まれてきたのか。これにはたしかにそれなりの理由があった。わたしたちにとってとりわけ面白いのは、こんな表現が生まれてきた経緯である。

そもそも髭の聖人乙女ウィルゲフォルティスにまつわる伝承には、そのきっかけとなったモデルがあったことが知られている（Friesen; Budwey）。それは、生身の女性ではなくて、初期中世以来、本国イタリアのみならず西欧全体で広く信仰を集めてきた、中部イタリアの小都ルッカのサン・マルティーノ大聖堂に伝わる《聖顔(ヴォルト・サント)》と呼ばれる木彫のキリスト磔刑像(4-7)である。

丈が八フィートにもおよぶその大きな彫像は、作者不詳であるが、八世紀か九世紀にさかのぼるものとされる。その十字架像は、腰布ではなくて、コロビウムと呼ばれる長い衣を身につけて、両眼をしっかりと見開いた姿をしていて、死に打ち勝ったという意味で、いわゆる「勝利のキリスト(クリストゥス・トリウンファンス)」と呼ばれ、初期キリスト教時代のシリア=パレスチナに図像の起源があるとされる。

4-7　ルッカの《聖顔》(普段の状態)

一二〇〇年頃を境に西洋では、これに代わって反対に「苦しみのキリスト(クリストゥス・パティエンス)」の図像が広まることになるのだが、それ以前にビザンティン経由で流布していたのが、この「勝利のキリスト」である。

その《聖顔》が広く信仰を集めてきたのには理

由があった。言い伝えによるとこの彫刻は、十字架にかかったキリストの埋葬に立ち会ったとされるニコデモなるパリサイ人によって、後世にその神々しい姿を伝え遺すために彫られたのだという。ところが、完成を間近にひかえて残すは頭部のみという段になって、不覚にもニコデモは眠り込んでしまう。目覚めてみると、驚いたことにも顔が見事に彫りあがっていたのだった。

こうした奇跡によって生まれたキリストの肖像は、「人の手によらない」という意味で「アケイロポイエタ」と呼ばれる。十字架をかついでゴルゴタに登るキリストの顔の血と汗を拭きとったときに刻印されたとされる「ヴェロニカの聖顔布」がまたそうである。もしニコデモの伝承が事実だとすると、《聖顔》は紀元後三〇年頃のものということになるが、もちろんこれは、十字架像に聖なるオーラを与えるために創作された中世の作り話である。

その伝説の彫刻がなぜイタリアの小都ルッカにあるのか。この経緯にも曰く因縁がある。パレスチナの聖地巡礼に訪れた某司教が夢のなかで啓示を受け、この貴重な聖遺物を洞窟で発見。ヤッファ(テルアビブ)の港から無人の船で運ばせるが、流れ着いたのはトスカーナ地方の港町ルーニである。所有権をめぐってこの町とのあいだで一悶着あった末に、七八二年その聖なる木彫は、雄牛の牽(ひ)く荷車で無事にルッカに到着したというのだ。

中世の美しい街並みを今に残す城壁の町ルッカは、当時、ローマへの巡礼の要地で、このこともまた、《聖顔》の信仰が広まるのに一役買った。イングランドのカンタベリーや、フランスのランスやブザンソンなどから、アルプスを越えてイタリア半島をパヴィーア、ピアチェンツァ、ルッカ、シエナと下ってローマへといたる経路は、フランチジェナ街道と呼ばれ、北方から多くの巡礼者たちを迎え入れてきたのだ。

さて、この貴重な木彫は、毎年特別な祝日——九月中旬の十字架称賛の祝日——になると、ルッカの町の信者たちによって、ほとんど女性にも見紛うような華やかな衣装を着せられて靴を履かされ、黄金の冠や襟やベルトなどの装飾品で飾られてきたという古来の風習があった。その一端は、今日の飾り付けの様子(4-8)からも想像できる。それはあたかも、イエスの磔刑像が、信者たちを楽しませ喜ばせるお気に入りの着せ替え人形に様変わりしたかのようでもある。もともと裾の長い衣を身に着けていたことが、こうした扮装のきっかけとなっているように思われる。

4-8　ルッカの《聖顔》(着飾った状態)

このことはまた、その後のいくつかの絵画

作品、一例を挙げるなら、コジモ・ロッセッリ(一四三九―一五〇七)のテンペラ板絵(4-9、一四九〇―九五年頃、ロサンゼルス、カウンティ美術館)などからもはっきりと傍証される。着飾った十字架のイエスの両脇には、左から順に、当時フィレンツェで信仰のあった、ヴィンチェンツォ・フェレールと洗礼者ヨハネ、福音書記者マルコとアントニヌスがいて、それぞれルッカの名高いイコンに礼拝を捧げている。

4-9 《ルッカの聖顔》

さらにこのイコンにして聖遺物は、奇跡をめぐるいくつかのエピソードで彩られていくことになる。なかでも、貧しいミンストレル(中世の吟遊詩人)にまつわる話は、美術の主題としてもいちばん好まれてきたようで、フレスコ画や板絵から挿絵等にいたるまで比較的多くの作品が残されている。それによると、この名高い《聖顔》にたいして、何も捧げるものがない貧しい旅芸人は、唯一自分にできる芸を披露して篤い信仰心を示したところ、豪華に着飾った十字架のイエスは、その礼にと自分の靴を脱いで与えた、というのである。南イタリアのオルトーナに伝わる作者不詳の板絵(4-10、一五世紀、オルトーナ、教区美術館)では、旅芸人が大事そうに黄金の靴を手にするところが描かれている。このようにルッカの十字架のキリストは、貧者や弱者の味方でもあったのだ。

この話はまた、ウィルゲフォルティスの伝承とも合体して、中世末期からルネサンスとバロックを経て一八世紀にいたるまで、十字架にかかった彼女が自分の靴を脱いでミンストレルに与えるところがしばしば描かれてきた。しかもたいていの場合その姿は、うら若い乙女どころか、女装した髭の男といった風情である。この図像は、ルッカの聖顔とウィルゲフォルティス信仰とが、民衆的な想像力のなかでいかに強く結びついてきたかを示す証拠でもある。

たとえばここに挙げた作例(4-11、一八世紀、ポズナン、国立美術館)が示しているように、それらはたいてい作者不詳で、どちらかというと安価な奉納絵(エクス・ヴォト)のような体裁をとっているから、いわゆる民俗芸術(フォーク・アート)のうちに数え入れるのが適切だろう。いずれにしても、民衆のあいだで広い信仰を集めていたことをうかがわせる事例である。

靴のモチーフはまた、よく知られたシンデレラの御伽話(おとぎばなし)を連想させるところがある。シンデレラのガラスの靴が欲望の対象にして性的なシンボルでもあるとするなら、ルッカの聖顔やウィルゲフォルティスにまつわる黄金の靴(サンダル)にもまた同様の内包を読み取ることができるかもしれない。ただしここで靴の持ち主は、異性装にも見紛うようなキリストであり、髭の生えてきた処女である。

ルッカの《聖顔》と同じく、祝日に応じて別の豪華な衣装でお目見えする着せ替え人形のような彫刻として、ほかにも、プラハの聖母マリア教会に伝わる《幼児キリスト像》(一六世紀)が広く知られているが、こちらは文字どおり幼くていたいけな姿をしている。

あるいは、まるで愛らしい女児のような身なりの幼児イエスの絵も伝わっている。バロック期ポルトガルの女性画家ジョゼファ・デ・オビドス(一六三〇—八四)の手になる《巡礼者としての少年イエス》(口絵11、個人蔵)がそれである。巡礼の杖をもったイエスは、まるで少女のように、長く伸ばした髪に大きな赤いリボンを飾り、頬を朱に染めて、鑑賞者に愛嬌を振りまいて

上：4-10 《ルッカの聖顔とミンストレル》
下：4-11 《ウィルゲフォルティスとミンストレル》

いる。腰にはお守りであろうか、「ヴェロニカの聖顔布」をつけている。このように、幼いイエスはしばしばあいまいな性差で表現され、(とりわけ修道女たちにとって)信仰の対象となってきた。

中世におけるさまざまな異性装

ところで、中世からルネサンスにおいて異性装は必ずしも性的倒錯に結びついているわけではない。たとえば、中世の騎士たちは馬上槍試合において、彼らが愛する意中の淑女に敬意を表し注意を引くため、女性にも見紛う豪華な衣装を身に着けてトーナメントに臨む場合もあったことが知られている(Putter; Kerkhof)。宮廷風恋愛の世界においても、異性装はその役割を果たしていたのだ。

一方、カーニヴァル的な伝統において、通常の貴賤や貧富、男女や老若の区別や上下関係が丸ごと転倒され、一定期間だけさかさまの世界が繰り広げられることは、ミハイル・バフチン(一八九五―一九七五)が鮮やかに示したところである(『フランソワ・ラブレーの作品と中世・ルネサンスの民衆文化』)。こうしたたぐいの異性装は、パフォーマンスにしてエンターテインメントとして、今日のカーニヴァルや祭りのなかでも生きつづけている。特別の日に華やかに仮装するという点では、ルッカの《聖顔》ともどこか通じるところがあるだろう。

さらに異性装が、演劇性とも密接につながっていることは、わたしたち日本人にとって、歌舞伎や宝塚歌劇から明らかであろう。西洋でも男性のみが舞台に立ったエリザベス朝演劇に顕著な例がある。とりわけ、シェイクスピアが『十二夜』において、少年俳優が女性を演じるという定番に加えて、女性が男装しているという——女装した少年が改めて男装する——演出を重ね合わせ、さらにその男性と瓜二つの人物が出現するという仕掛けまで用意して、ジェンダーの交差を巧みに操りながら、観客を煙に巻こうとしたことはよく知られている。

扮装やなりすましはまた、ジョヴァンニ・ボッカッチョ(一三一三—七五)が『デカメロン』において好んで取り上げたテーマのひとつでもある。皆さんもご存じのように、一三四八年に大流行したペストの危険を逃れた男三人と女七人が、退屈を紛らわすために十日間でそれぞれが十の艶っぽい話を物語るという趣向で、エロスと笑いと風刺に富んだストーリーが次々と展開されていく。

扮装に関してはたとえば、修道士がある夫人に、天使ガブリエッロが彼女に恋していると思いこませ、その天使の姿をして何度も彼女とベッドをともにする話(四日目の第二話)、若い男が聾唖者のふりをしてまんまと女子修道院に入り込む話(三日目の第一話)、王の妻に恋をした馬丁が王になりすまそうとする話(三日目の第二話)などがある。仮装はそもそも、遊び心やいたずら心を刺激しないではいないもので、目的を達成するための有効な手段でもある。

なかでも、女性の男装は、通常のジェンダーやアイデンティティに揺さぶりをかける。男の作者(ボッカッチョ)が女の語り手の声を借りて、男装した女の話を語るのである。たとえば、男の修道院長に扮装した英国国王の娘が、ローマへの道中、一目惚れしたフィレンツェの若者アレッサンドロと結ばれる話(二日目の第三話)や、不義を疑われた妻ジネーヴラが、男装して、自分を陥れた男に仕返しをする話(二日目の第九話)などがその最たるものである。それらはあたかも、女性は異性装によってこそ目的を達成できるといわんばかりである。

前者では、ある夜、男装した修道院長と端正なアレッサンドロ青年とは同じ部屋で寝ることになるのだが、修道院長から誘惑されそうになった彼は驚いて、「院長はもしやよからぬ衆道の好み」の持ち主ではないかと戸惑い怪しむ。すると、これを察した男装の院長が、相手に自分の胸を触るように促すと、そこにあったのは「象牙のように華奢」な丸い二つの乳房であったというオチがついている。「よからぬ衆道の好み」に対応するイタリア語の原語は、直訳すると「不実の愛(ディスオネスト・アモーレ)」である。異性装という仕掛けに訴えることで、ボッカッチョは、修道院の禁欲主義とその反動(逸脱)を笑いに包んで皮肉っているのである。

異性装の聖人たち

実は聖書では、異性装はタブーとされている。「女は男の着物を身に着けてはならない。男は女の着物を着てはならない。このようなことをする者をすべて、あなたの神、主はいとわれる」(『申命記』22.5)、というわけである。だが、他方ではいみじくも、服装や身なりで人を判断したり分け隔てしたりしてはならない、と諭されてもいる(『ヤコブの手紙』2.1-4)。

実際に初期キリスト教の時代から中世にかけて、異性装の聖人、わけても聖女の話がいくつか伝わっている。ある研究者によると、少なくとも三四人を数えることができるというが、それというのも、そこにはより現実的な理由や動機が働いているからである(Hotchkiss)。つまり、父親が決めた強引な結婚を回避し、処女を守り、神に仕えるために異性装を選択するというわけである。これはまた、先述した伝説の民俗聖人ウィルゲフォルティスの語りとも相通じるところがある。彼女の場合には、男装したわけではなくて、髭が生えてきたとされるのだが、あえて今日風のいい方をするなら、根底にあるのはドメスティック・ヴァイオレンスである。

前章で登場願ったビンゲンのヒルデガルトも、その著『スキヴィアス』において、原則として異性装を禁じているが、男の場合には命が、女の場合には純潔が危険にさらされるときには、それもやむをえないだろうとみなしている(Scivias 278)。

中世からルネサンス期の大ベストセラー『黄金伝説』にも、異性装の聖人の話が少なからず取り上げられていて、ある意味では予想外にも、それが一方的に非難されているわけではないことがわかる。たとえば、聖書をギリシア語からラテン語に訳したことで知られる学者聖人ヒエロニムスは、その評判をねたましく思った仲間の修道士からいたずらで女装させられてからかわれたという。一五世紀初頭のフランドルの細密画家として名高いランブール兄弟が、この奇抜でユーモラスでもあるエピソードを今に伝えている(4-12、一四〇五―一四〇九年、『ベリー公のいとも美しき時禱書』より、ニューヨーク、メトロポリタン美術館)。まだ寝入っているトンスラ(剃髪)で長い顎髭のヒエロニムス(右)が、起きだして(左)、首回りの大きくあいた鮮やかな青色のドレスを身にまとっているところが、異時同図法によってとらえられているのである。

4-12 《女装のヒエロニムス》

とはいえ、圧倒的に多いのは女性の男装である。外典の『トマスによる福音書』にはイエスの語録として、「どの女たちも、彼女らが自分を男性にするならば、天国に入るであろう」(114)という教えが伝えられているが、これはひるがえっていうと、男は女よりも天国に近い存在だという意味でもある。おそらく、そうした男尊女卑が根底にあるからこそ、あえて男装しようとする女性たちが出てきたとも考えられるだろう。彼女たちは「男」をパフォーマンスすることで、神により近づこうとした。名高いジャンヌ・ダルク(一四一二頃—一四三一)の場合がそうであったように。逆に、女に自己同一化することで聖人となった男の修道士たちの話は、少なくともわたしの知るかぎり伝えられていない。

『黄金伝説』に話を戻すなら、男装の修道女として、主なものだけでも、アレクサンドリアのテオドラ、アンティオキアのペラギア、処女マルガリタ、ローマのエウゲニア、処女マリナといった名前を挙げることができる。修道士として彼女たちは順に、テオドロス、ペラギオス、ペラギウス、エウゲニウス、マリノスという男性名を名乗ったとされる。彼女たちの伝記はまた、男装の殉教者「ろおれんぞ」の顛末を物語る芥川龍之介の美しくも切ない短編小説、『奉教人の死』(一九一八年)にインスピレーションを与えたものでもある。

彼女たちが男として宗門に入る動機は主に次の二つに大別できる。ひとつは処女を守りぬくため、もうひとつは悔悛のためである。父親に男装させられて修道院に入れられるうら若い処女マリナや、結婚を目前に信仰に目覚めるマルガリタは前者に、不義を働いて後悔する裕福な人妻テオドラや、放縦な生活を悔い改めるペラギアなどは後者に相当する。

これら動機の違いは別にして、男装の聖女たちの話には、緩やかながらとても興味深い共通点がみられる。たいてい、別の女に誘惑されそうになり、それをはねのけたがために、その腹いせに女(と家族)から不義や強姦の罪で訴えられ、弁解も抵抗もできないまま、みずからに降りかかった運命を甘んじて受け入れ、修道院を追い出されるのである。

場合によっては、テオドラやマリナやマルガリタのように、相手の女が別の男とのあいだにもうけた子供の父親にまでされてしまい、一方的に赤子を押しつけられる。それでも彼女たちは忍耐強く子供を育て上げ、神への感謝を忘れることはなかった。こうして長年のあいだ善行を積んだのち、天に召されることになるのだが、遺体を葬る段になってはじめて女であることがわかった、というのである。芥川龍之介の『奉教人の死』の表現を借りるなら、「いみじくも美しい少年の胸には、焦げ破れた衣のひまから、清らかな二つの乳房が、玉のやうに露れて居るではないか」、というわけである。

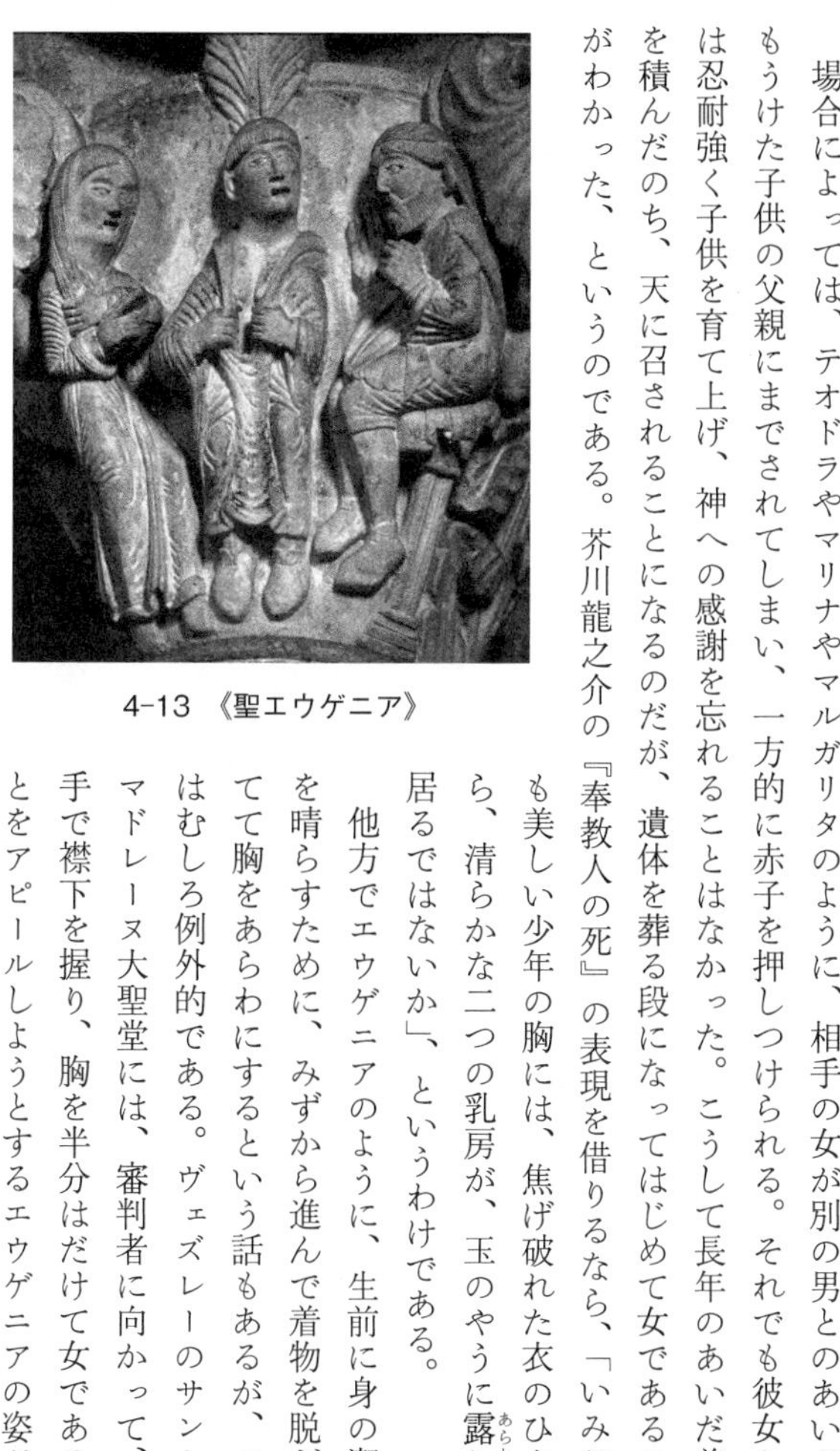

4-13 《聖エウゲニア》

他方でエウゲニアのように、生前に身の潔白を晴らすために、みずから進んで着物を脱ぎ棄てて胸をあらわにするという話もあるが、これはむしろ例外的である。ヴェズレーのサント＝マドレーヌ大聖堂には、審判者に向かって、両手で襟下を握り、胸を半分はだけて女であることをアピールしようとするエウゲニアの姿が描

4-14 《聖マリナ伝》

かれた珍しい柱頭の浮彫り(4-13、一一二〇—三八年)が残されている。彼女はまた、頭髪の中央を丸く剃ったトンスラをしている。

同じく『黄金伝説』によると、この髪型は使徒ペテロに起源があるとされ、男の修道士のシンボルでもあるから、男装には不可欠のアイテムだったと想像される。身に覚えのない赤子を押しつけられたマリナもまたトンスラで登場する。彼女は死後にはじめて女性であったことが判明したとされるが、《聖マリナ(マリノス)伝》の細密画(4-14、一四二三年、パリ、国立図書館、Français 51 f.201v)のなかでは、トンスラのまま横たわる白い遺体の裸の乳房を描くことで、異性装であることが示される。その姿は、どこかけなげで哀れでもあれば、奇妙でちぐはぐなようにもみえる。

ところで、『黄金伝説』が伝えるこうした男装の聖女たちの話は、中世キリスト教社会において性的アイデンティティに一定の流動性があったことを証言するものだが、その動機は、性的嗜好からというよりもむしろ、男に自己同一化しようとするものである。それゆえこの点では、男性性優位とミソジニーという社会的な通念に追従するものであることは否めない事実であろう。とはいえ彼女たちは、それを逆手に取って積極的に利用し、男装というパフォーマンスを通じて家父長制に抵抗し、キリストにできるだけ近づこうとした、という言い方もできるだろう。ある意味で彼女たちもまた「クリスタ」だったのだ。

女教皇ヨハンナ

一方、「キリストの代理者」としての歴代ローマ教皇もまたすべて男性であるが、中世には広く、ただひとりだけ女性の教皇が即位したことがあると信じられていた。タロットカード(4-15、一四五〇年頃、ニューヨーク、モルガン・ライブラリー)でもおなじみのヨハンナという女性で、男装して「ヨハネス・アングリコス」と名乗り、男として教皇にまで上りつめて、八五五年から八五八年まで在位したとされる。

実際、シエナ大聖堂の身廊アーチの上には、ペテロからはじまって一五世紀末までの歴代教皇の大理石による肖像彫刻が並べられているが、かつてはこのなかに男装の女教皇ヨハンナのものもあったことが知られている(一七世紀になってこのヨハンナ像は取り除かれた)。さらに、古代以来の女傑たちの伝記を集めた著書『名婦列伝』のなかで、ボッカッチョも、実在の女教皇として彼女に一章を割いているほどである。

4-15　ボニファチオ・ベンボ《女教皇ヨハンナ》

それによると、ヨハンナはドイツのマインツ出身で、乙女のころに若い学徒と恋仲になり、彼を追ってイングランドに渡る。不幸にもその若い恋人が亡くなると、学問の魅力に取りつかれた彼女は、男装をして女性であることを隠し、自由七学芸と聖書学を究める。こうして歳を重ねてローマに赴き、並外れたその学識と徳性によってまわりから大いに尊敬され、誰からも男性であると信じられ、枢機卿たちのなかから満場一致で教皇に選ばれて、ヨハンネスと名乗ったというのである。かくて数年間にわたり、女が男として「キリストの代理者」でかつ「ペトロの後継者」の役割を果たすことになった、というわけだ。

とはいえ、話はこれでおしまいではない。ここまでは成功譚だが、あとはそこから一気に転落していく。いったん教皇という最高位にまで上りつめると、「燃え焦げる性欲の餌食」となり、「彼女の高まる性欲を疼かせるある人」を見つけたあげくに身ごもることになる。しかも悪いことは重なるもので、祝日の行列行進の最中に急に産気づいて公の場で出産してしまい、女性であったことが暴かれてしまうのである。「おお、何たる恥知らずの罪よ!」、語り手ボッカッチョの口から思わず漏れるクレームである。

女教皇は誰かに裏切られたり陰謀に巻き込まれたりしたわけではなくて、みずから招いた罪で身を滅ぼしたというのだ。祝日の行進での突然の出産という場違いで破廉恥な出来事は、しばしば絵(4-16、ヤコブ・カレンベルク作、木版画、一五三九年)の題材にもなってきた。道端に倒れ込んで枢機卿たちに支えられた女教皇の股間から胎児が躍り出ている様子を、画面左で道化が盗み見るように指さしている。それは、どこか諧謔的でもあれば瀆聖的でもある。こんなになるまでどうして誰も教皇の妊娠に気づかなかったのだろうか、などと野暮な邪推はこのさい控えておこう。

ここでボッカッチョが依拠している女教皇をめぐる言い伝えは、一三世紀にさかのぼるよう

4-16　ヤコブ・カレンベルク《女教皇の出産》

で、一見したところ女性の力を賛美しているようにもみえるが、逆に、いささかスキャンダラスで辛辣、風刺的で滑稽にすら聞こえる。ヒロインが、ローマ教会と必ずしも良好な関係になかったドイツとイングランドにゆかりのある人物という設定になっているため、ヴァチカンや聖職者への不信感や猜疑心からこうした伝承が生まれてきたのではないかと考えられている(Dubois)。

ボッカッチョの意図も両義的である。そもそも、最初の女性とされるイヴを筆頭に、ユダヤ教と異教とキリスト教から一〇六人の女性を集めた『名婦列伝』自体、その序文にあるように、男性によって占められてきたそれまでの伝記に抗して、女性たちの「偉業を一冊の本に集め」、その「栄光を称讃する」という意図のもとに編まれている。

とはいえ、それはことの半面に過ぎない。彼女たちが称讃に値するとしたら、それは、もともと「柔弱に生まれつき、弱い身体と緩慢な天性」しか与えられていないにもかかわらず、そうした弱点を克服して男性のように振舞ったからである。つまり、ボッカッチョにおいても男性性の優位に揺るぎはないのだ。しかも、彼女たちの「忌まわしい行為を非難し」、「恥ずべき功績ゆえに失われた魅力」にもあえて言及することで読者の教訓にするのだと、同じく序文で明言されている(瀬谷幸男訳)。

女教皇ヨハンナの場合には、男として学問を磨いて教皇にまで上りつめたことが「栄光」だとすれば、女として情欲におぼれて身を持ち崩したことは「忌まわしい行為」ということになるだろう。いったんは持ち上げておいて次に貶めるという、俗にいう「ほめごろし」の逆説的なレトリックが、ここで働いているように思われる。

このように女教皇の話は、反ローマ教会的な性格を帯びているため、後にプロテスタント側にとって格好の批判材料にもなった。たとえば、ルーカス・クラーナハ(一四七二―一五五三)の工房で挿絵が制作された『ルター訳聖書』(一五三四年)では、三重冠をかぶった女教皇は、黙示録のなかに登場する、七つの頭をもつ獣にまたがる「バビロンの大淫婦」(4-17)になぞらえられている。この「大淫婦」は、「忌まわしいものや、自分のみだらな行いの穢れで満ちた金の杯」(『ヨハネの黙示録』17.4)を手にしている。プロテスタント側にとって、女教皇にして「大淫婦」は、カトリック教会の腐敗の象徴でもあるのだ。

つづく一七世紀になると、女教皇ヨハンナの実在は次第に否定されていくようだが、これに関連して、やはり反ローマ教会側からもうひとつ別のキャンペーンが繰り出されることになる。それは、新たに選ばれた教皇にたいして性別判定――「プロバティオ・セクスス」――がおこなわれてきた、というものである。おまけに都合のいいことに、それに使われたとされる赤大理石製の椅子(4-18、ヴァチカン美術館)――ラテン語で文字どおり「便座(セディア・ステルコラリア)」と呼ばれる――が伝わっているのである。

つまり、真ん中に丸く穴の開いているこの椅子に新選出の教皇をすわらせ、その穴から下半

上：4-17　クラーナハ(工房)《バビロンの大淫婦》(部分)
下：4-18　教皇の「便座」

身を触って男にまちがいないことを確かめる、というわけである。その光景を再現したとおぼしき版画(4-19、一六六五年)まで残されている。下半身は覆いで隠されているが、三重冠をかぶってすわる即位したばかりの教皇インノケンティウス一〇世(在位一六四四―五五年)にたいして、手をまさぐり入れている枢機卿らしき男の口からは、「睾丸があって、ちゃんとぶら下がっている」というラテン語の刻まれた吹き出しが躍っている。

4-19 《教皇の性別判定》(部分)

　この風習は歴史的に実証されているわけではないし、ローマ教会を揶揄する意図は明白だから、もちろんヴァチカン側はこれを全面否定しているが、こうした話が出てくるのには、聖人の異性装という宗教的で文化的な背景があったと考えられる。ちなみに、この赤大理石の立派な「便座」は、本来、新たに選出された教皇がそこにすわって(ここまでは筋書きが同じ)、みずから謙虚にへりくだってみせるという儀式のために使われたという説があるが(Dubois)、こちらのほうがより真実に近いかもしれない。

いずれにしても、救世主キリストは必ずしも男である必要はないのではないか、人々のそうした思いが、宗教的で文化的な無意識とでも呼びうる層のなかに根強く潜在していて、それがこの章で見てきたような興味深いさまざまな現象や作品になって浮上しているように、わたしには思われる。似たようなことは、受難のキリストの「傷」をめぐる実に旺盛で変幻自在な想像力においても起こっている。次の章では、そうした事例に目を向けてみることにしよう。

5 「傷（ウルヌス）」、「子宮（ウルウァ）」、「乳首（ウベル）」

十字架上のキリストの脇腹の傷口から「教会（エクレジア）」が生まれてくる図像については第3章で述べた。とすると、キリストの傷口が、子宮か外陰部への連想を誘ったとしても不思議ではないだろう。ラテン語で傷を意味する「ウルヌス vulnus」と、子宮や外陰部を意味する「ウルウァ vulva」の語の響きが似ていることも、この連想に拍車をかけることになる。

女性器としてのキリストの傷

実際、意外に思われるかもしれないが、中世の西洋では、キリストの傷を女性器に見立てたような図像がくりかえし描かれている。なかでも一四世紀から一五世紀に制作された時禱書と呼ばれる装飾写本のなかにかなり頻繁に登場する。時禱書とは、修道院での実践を模範としつつ、とりわけ一般信者に向けた祈りの手引き書となったものである。

たとえば、『ボンヌ・ド・リュクサンブールの時禱書』のなかの図像（口絵12、一三四五―四九年、ニューヨーク、メトロポリタン美術館)を見てみよう。まず何よりもわたしたちの目を引くのは、真ん中に大きく描かれたアーモンド状の傷口である。周辺から中央に向かって徐々にオレンジ色から深紅に変わり、さらに中心部は濃いあずき色になっている。このような色彩の巧みなグラデーションは、あたかも子宮のなかへと見る者を引き込むかのような効果をもっている。

また、あえて垂直に置かれているのも意味深長である。十字架上で槍に突き刺されてできた傷口だとすると、おそらくこのように縦にまっすぐにはならないだろう。実際、磔刑図などにおいては伝統的に、胸元にやや斜めに刻まれている姿で描かれてきた。この形状はまた同時に、キリストやマリアを囲む光輪——アーモンド型から「マンドルラ」と呼ばれる——を連想させるものでもある。聖なるものは性的なものへの連想を排除するわけではないのだ。

とはいえ、この細密画が表わしているのは、たしかにキリストの傷口である。その証拠に、両脇には、十字架や槍や茨の冠、(両手と両足に打ち付けられた)釘や(そこに縛られて鞭打ちにされた)円柱などが描かれているのである。これらキリストを苦しめた道具の数々を並べた図像は、文字どおり「アルマ・クリスティ(キリストの受難具)」と呼ばれ、やはり同じ時期に大流行したものである。聖職者や修道者のみならず、平信徒もまた、こうした図像を見ることによって、キリストの受難に思いを馳せ、想像のなかで受難を追体験していたのである。ちなみに、この豪華な時禱書の発注者にして所有者とされるボンヌ・ド・リュクサンブールは、ボヘミア王の娘として生まれ、神聖ローマ皇帝を弟にもち、フランス王のもとに嫁いだやんごとなき貴婦人である。

このように性的な暗示のある傷の表現には、多彩なヴァリエーションが存在している。そのいくつかをここで見ておくことにしよう。たとえば、《悲しみの人と傷》(5-1、一四世紀末、ニューヨーク、モルガン・ライブラリー)では、両手を胸元で十字に組んで石棺から上半身を出したイエス——「悲しみの人(イマーゴ・ピエターティス)」——と並べて、その傷が配されている。通常「悲しみの人」の図像では、斜めないし真横に刻まれた胸元の傷が描かれるのだが、この写本細密画では、キリスト本人は両手の傷だけをみせていて、胸元の傷は左の図によって強調されているのである。

5-1 《悲しみの人と傷》

また、五つの傷とも同じ外陰部状のかたちをした細密画の例(口絵13、『ロフティー時禱書』、一五世紀半ば、ボルチモア、ウォルターズ美術館)も伝わっている。槍に刺された胸元の傷ならいざ知らず、他の四つは、釘に打たれて両手と両足にできたとされるから、円くえぐられた傷口だったと想像されるのだが、そんなことにはおかまいなく、同じ形状で大きさだけ変えて、ちょうどそれぞれの傷に対応する位置に並べられているのである。どの傷口からも、これでもかとばかり真っ赤な血のしずくが滴り落ちている。その様は、絵筆で描かれたというよりも、まさしく絵の具を垂れ流した結果であるようにすらみえる。それはどこか、戦後アメリカの抽象表現主義の画家ジャクソン・ポロックのドリッピング絵画さえ連想させるといえば、牽強付会に聞こえるだろうか。

外陰部状の傷口のなかに、心臓が埋め込まれていて、その心臓の表面にさらに五つの傷が刻まれているような作例(口絵14、一五世紀、オックスフォード、ボドリアン図書館)もある。大きな傷口の表現は、その色彩といい形状といい、これまでのものよりいっそうストレートで生々しい。心臓のなかで、この胸元の傷がもういちど入れ子状にくりかえされ、さらに両手と両足の円い傷跡も刻印されていて、それらのいずれからも、やはり血が滴っている。

この心臓は、キリストのものでもあれば、こうした絵を見ていた信者たちのものであるだろう。ハートは文字どおり、キリストとの愛の象徴である。その愛はもちろん、アガペーとしての愛にちがいなかろうが、こうした図像が証言しているのは、エロスとしての愛ともまた矛盾するわけではない、ということである。スピリチュアルなものとセクシャルなものとは、必ずしも互いに排除し合うわけではない。むしろ相性がいいとさえいえるのではないだろうか。

ウォルターズ美術館にはまた、布に刻印された傷を二人の天使がかざしている珍しい細密画

(口絵15、一五世紀半ば)も所蔵されている。ここでもやはり傷はまっすぐ縦に置かれ、そこからは血が滲みだしている。まるで貴重な聖遺物でもあるかのように、天使がこの布をうやうやしく掲げている。この図像はおそらく、「ヴェロニカの聖顔布」から着想されたものだろう。ヴェロニカなる架空の女性がゴルゴタに登るイエスの顔を布でぬぐうと、その布に主の顔がぼんやりと浮かび上がってきたという中世の伝承に基づくもので、彼女や天使がこの「聖顔布」をかざすところが、やはり中世末期から盛んに描かれてきた。

ここまで見てきたのは、主に時禱書写本のなかの細密画で、これらを手にすることができたのは、裕福で身分の高い階層——主に女性——だったと想定されるが、同様の図像は、もっと安価に入手できる版画としても広く流布していた。このことは、たとえば木版画の《キリストの脇腹の傷の寸法》(5-2、一五世紀末、12×8㎝、ワシントン、ナショナル・ギャラリー)などが証言している。「ヴェロニカの聖顔布」を頭部にして、アーモンド型の傷が胴体となり、さらに両手と両

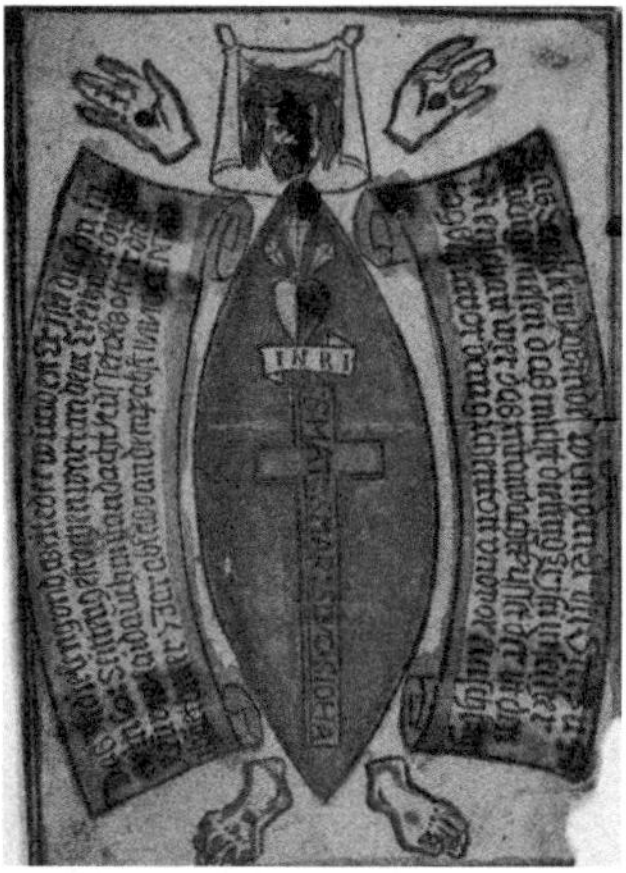

5-2 《キリストの脇腹の傷の寸法》

足が添えられる。傷口のなかには十字架と心臓も見える。

さらに傷の両脇にはドイツ語の銘文が刻まれている（以下の訳は美術館ホームページの書き起こしに基づく）。左には、「これは、十字架上で刺されたキリストの脇腹にできた傷口の幅と長さである。悔恨と悲しみと信心をもってこの傷に口づけする者は誰でも、そのたびに教皇インノケンティウスから七年間の贖宥が与えられるであろう」とある。右には、「信心をもってこの傷に口づけする者は誰でも、突然の死や災難から守られるであろう」と書かれていて、まさに「口づけ」の対象であったこともわかる。

ここで名指されている教皇は、時代から推し量るにおそらくインノケンティウス八世（在位一四八四—九二年）で、「贖宥が与えられる」とあるからには、贖宥状（免罪符）として売買されていたものと推定される。一五世紀後半から一六世紀初めにかけて贖宥状が乱発されたこと、そしてそれがルターによる宗教改革のひとつのきっかけになったことはよく知られているが、この傷の絵は、そうしたもののひとつだったのだろう。キリストの傷に「口づけ」することは、罪の赦しを請い願うことでもあったのだ。

護符としての女陰と男根

女性器としてのキリストの傷に関連してさらに面白いことに、それが護符のような役割も果

5-3　巡礼者の護符のバッジ

5-4　巡礼者の護符のバッジ

たしていたらしいことを証言する例が比較的豊富に伝わっている。巡礼者たちが旅のお守りとして身に着けていた鋳造のバッジに、ほかでもなくこの図像が使われているのである（Reiss）。そのひとつ（5-3、一四世紀頃）では、外陰部としての傷が、まさしく巡礼者のいでたちで表わされている。巡礼の帽子をかぶり、右手に杖、左手にロザリオをもっているのである。こうして女性器に模したキリストの傷のバッジを身に着けることで、中世の巡礼者たちは旅の安全を祈願しつつ、聖地の教会堂を目指していたのだろう。母体に戻りたいという無意識の願望を、心理学では胎内回帰と呼ぶことがあるが、外陰部はその入り口でもある。とすると、聖地とはまた母体の置き換えなのかもしれない。

同様のものとして、女陰を三本（あるいは三人）

の男根が運んでいるようなバッジ(5-4、一四世紀頃)も伝わっている。それはあたかも、大切な聖遺物をうやうやしく運んでいるかのようにも見えて、ユーモラスでほほえましくさえある。まるで当時のジェンダー関係を転倒させるかのように、ここでは、男性器が女性器に仕えているのだ(ちなみにこれらは、一九九二年にオランダのコレクターによって設立された非営利団体、中世バッジ財団 Medieval Badge Foundation の所蔵になるもので、そのコレクションは、聖俗合わせて一二世紀から一六世紀までの数千点に及ぶ。図はいずれもその公式サイトによる)。

このような男女の性器の組み合わせはまた、どこかヒンズー教の「ヨニ(女陰)」と「リンガ(男根)」を連想させるところがある。とはいえ、だからといってもちろん、ヒンズー教の図像がキリスト教の図像に影響を与えたとは考えにくい。おそらく宗教的なものの根源には、おしなべて性的なものや生殖にたいする崇敬の念があるという意味に解するべきだろう。

厄除けや護符としてのファルスの例は、古代ローマの異教の遺品のなかにも頻繁に登場している。また、ギリシア神話のイアムベーあるいはバウボーは、愛娘を地獄から救い出すことができなくて悲しみに暮れる女神デメテルに、自分の女性器を見せることで笑わせ和ませたとされる。衣をめくりあげて大股開きするその古代彫刻もまた少なからず伝わっていて、考古学的な発掘品の熱烈なコレクターでもあった精神分析の生みの親フロイトのコレクションのなかにも、やや傷んではいるものの、ちゃんとこれが含まれている(5-5、紀元前三世紀頃、ロンドン、フロイト博物館)。大股開きのバウボーの女性器は、救済と笑いの象徴でもあるのだ。

　おそらくこうしたテーマや図像がキリスト教に流れ込んでいったと想像されるのが、「シーラ＝ナ＝ギグ Sheela-na-Gig」——オックスフォード英語辞典によると、アイルランド語の「乳房のジュリア」に由来するという——と呼びならわされている彫刻のたぐいである(5-6、一二世紀、キルペック、セント・メアリー&セント・デヴィッド聖堂)。両手で外陰部を大きく開いてみせている裸の女性を表わしたもので、アイルランドやフランスやスペインのロマネスク教会堂などに残されている。人目につくところに堂々とというよりも、建物の軒下などの周縁部に置かれることが多いようだ。

5-5 《バウボー》

　中世の教会堂や写本の周縁部には、しばしばグロテスクで奇怪でユーモラスな図像が登場して目を楽しませてくれるが、「シーラ＝ナ＝ギグ」もそうしたたぐいのひとつである。異教のバウボー像にも通じるその露骨な仕草は、さながら、ここから子宮のなかへ入っておいでと誘っているかのようでもある。胎内回帰の無意識的願望にも共鳴しているのだろうか。

　その語源や機能については諸説あるようだが、ここではこれ以上深入りしないでおこう。わたしたちにとって重要なのは、こうした異教的で民俗的でもあるようなモチーフが、キリスト教文化のなかにもちゃんと根付いて生きつづけてきたという事実である。

　シーラ＝ナ＝ギグさながら、キリスト自身が脇腹の傷を大きく両手で開いてみせているような珍しい図像（5-7、一四二〇―二五年頃、ロンドン、ヴィクトリア＆アルバート博物館）も残っている。この彩色木彫は、もともとフィレンツェのサンタ・マリア・ヌオーヴァ施療院に付属する

上：5-6《シーラ＝ナ＝ギグ》
下：5-7　作者不詳《傷口を開くキリスト》

礼拝堂の扉口に飾られていたとされるものだが、ここでキリストは、まるで傷口から自分の体内に入っておいでと誘っているかのようである。そこにはまた、病める者を癒すというご利益が期待されたのだろう。

イエスの割礼と包皮

護符としての女陰や男根の図像と関連して、ここであえて触れておきたいのは、中世の教会堂で貴重な「聖遺物」として一般の信仰を集めていたイエス・キリストの包皮とされるものである。なぜこんなクィアなことが可能になるのか。結論を先取りするなら、その包皮は、受難のイエスが生まれてすぐ最初に受けた傷であり、最初に流した血だ、とみなされたからである。つまりそれは、後の磔刑を予告する証しとされたわけだ。

イエスはユダヤ人であるから、もちろん割礼を受けていたはずである。ユダヤ教において男子の割礼は、それを最初に受けた父祖アブラハム以来、子々孫々にいたるまで神との重要な契約とみなされてきた。実際に『ルカによる福音書』には、誕生から「八日たって割礼の日を迎えたとき、幼子はイエスと名付けられた。これは、胎内に宿る前に天使から示された名である」(2.21)と記されている。カトリック教会や正教会では、古くから一月一日がイエス割礼の祝日として祝われてきた。

5 「傷(ウルヌス)」,「子宮(ウルウァ)」,「乳首(ウベル)」

一方、イエスの場合だけは例外として、キリスト教はユダヤ教との差異化を図るために、割礼一般にたいしてはむしろ否定的な態度をとってきた。使徒パウロは早くから、「割礼の有無は問題ではなく、大切なのは神の掟を守ることです」(『コリントの信徒への手紙一』7.19)と述べて、割礼の宗教的で生理的な意味を撤回し、さらに、外見上の割礼ではなくて、「霊によって心に施された割礼」、すなわち洗礼こそが真の割礼であると説いていた(『ローマの信徒への手紙』2.28-29)。つまり、ユダヤ教の割礼に代わるのが、キリスト教では幼児洗礼ということになるわけだ。

「幼児イエスの割礼」はしばしば絵画のテーマになってきたが、そこではたいてい、母マリアと養父ヨセフが生まれたばかりのイエスをユダヤ教の神殿に連れていき、祭壇の上で祭司からその子のペニスの包皮を切り取ってもらうという場面が描かれている。そこにおいて、たとえばフリードリヒ・ヘルリン(一四二五/三〇頃—一五〇〇)の板絵(5-8、一四六六年、ローテンブルク・オプ・デア・タウバー、聖ヤコブ教会)の場合にとりわけ顕著なように、祭司の握る鋭いナイフがことさらに強調され、儀式の残酷さが暗示される作品も少なくはない。というのも、イエスが最初に受けた傷にして、最初に流した血とされる割礼は、後にくるイエス受難の前触れ(予型)とみなされてきたからである。

とはいえ、これはある意味でキリスト教の側からの(おそらくは故意による)曲解である。なぜなら、イエスの割礼が神殿（シナゴーグ）で儀式として執行されたなどとは、聖書のどこにも記されてはいないからである。そもそもユダヤ教において、割礼は家庭内や部族内でおこなわれたものであって、神殿で祭司が執行する儀式というわけではない。アブラハムは、『創世記』にあるとおり、自分も含めて「息子のイシュマエルをはじめ、家で生まれた奴隷や買い取った奴隷など、自分の家にいる人々のうち、男子を皆集めて、すぐその日に、神が命じられたとおり包皮に割礼を施した」（17.23）のだった。

5-8　フリードリヒ・ヘルリン《イエスの割礼》（部分）

余談かもしれないが、いわゆるエディプス・コンプレックスの発見者、ユダヤ人のフロイトが、割礼を「去勢」ないし「去勢不安」の象徴的な代替とみなしたとするなら、それは、古くは割礼が家族や部族のなかでとりおこなわれてきたこととも無関係ではありえないだろう。

キリスト教美術の図像では、アブラハム（とその家族）の「割礼」は、ほとんど戯画化されたグロテスクな場面として描かれてきた。たとえば、『創世記』の挿絵(5-9、『エガートン創世記』より、一四世紀、ロンドン、大英図書館)などが、その典型的な例である。画面左、父祖アブラハムの陰茎はことさらに強調され、その包皮がいままさに、おそらくは家族の一員によって切り取ら

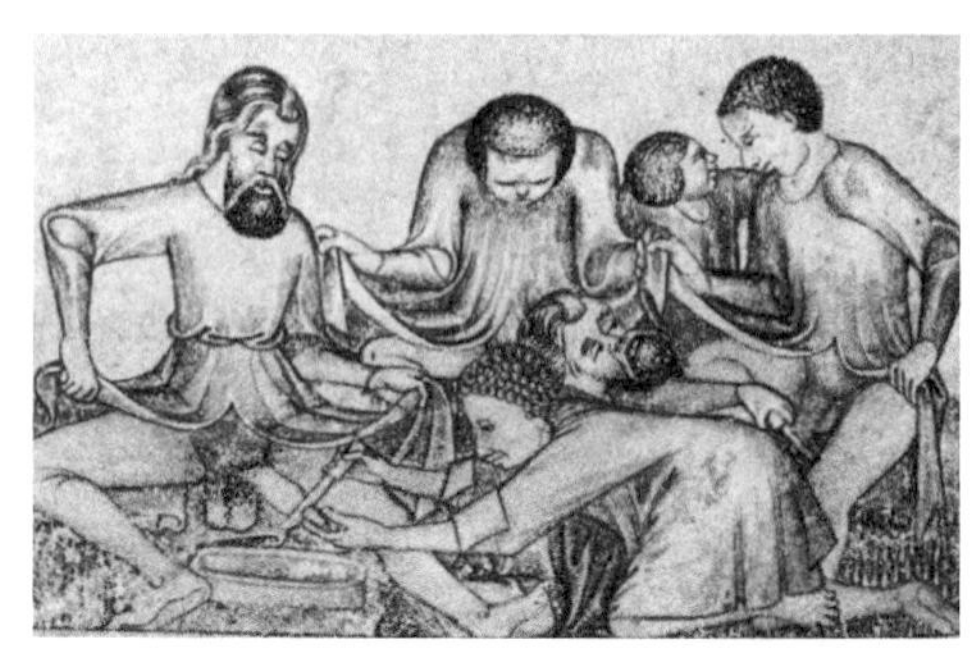

上：5-9 《アブラハムとその家族の割礼》

下：5-10 《アンチキリストの割礼》

れようとしている。画面の右には、短髪で縮毛の奴隷とおぼしき男がいて、彼もまた割礼を受けている。こうした図像から伝わってくるのは、「割礼」に込められている、反ユダヤ的でレイシズム的なメッセージである。

さらに、中世で創作された黙示録的で悪魔的なキャラクターに、キリストをそっくり転倒させたアンチキリスト(反キリスト)がいて、その図像も含めて人々の終末論的な想像力を大いに駆り立ててきたのだが、その割礼もまた、たとえばフランクフルト(オーデル)の聖マリア教会の後陣を飾る鮮烈なステンドグラス(5-10、一四世紀後半)が証言しているように、ことさらその野蛮さが強調されている。巨大なハサミはまるで幼児アンチキリストの陰茎そのものを斬り取っているかのようである。ここにもまた、ユダヤの慣習を揶揄しようという下心が感じられる。

聖遺物としてのイエスの包皮

これとは対照的に、幼児イエスの割礼の血が、イエスによる贖罪の血の先取りであるとするなら、その包皮は、まさしく受難のシンボルにほかならないわけだから、いみじくも十字軍やアーサー王伝説などが証言しているように、あまつさえさまざまな聖遺物獲得への熱狂に火がついた中世において、これが特別な聖遺物に祀り上げられるとしても不思議ではない。まして

5 「傷(ウルヌス)」,「子宮(ウルウァ)」,「乳首(ウベル)」

や、イエスの「聖なる包皮」は、その血痕や頭髪や臍の緒などと並んで、まさしく救世主その人の生身の体の一部というわけだから、なおさらのことである。イエスの包皮は、神がいみじくも人間の姿をとって地上に現われたことの完璧な証拠とみなされるわけだ。

一説によると、二〇以上ものイエスの包皮の聖遺物が、ローマやメッツ、ヒルデスハイムやアントウェルペンなどにあったとされる(White)。いったいイエスにいくつペニスがあったというのだろうか。それとも何十回も割礼を受けたというわけだろうか。もちろん、いずれにせよそんなことはありえないから、この数は、「聖なる包皮」にたいする中世の人々の熱狂ぶりを傍証するものでもある。

その一例としてここでは、スウェーデンを代表する神秘家で修道女のビルギッタ(一三〇三—七三)のまさしくクィアな神秘体験を挙げておきたい。現代のわたしたちには容易には信じがたいことかもしれないが、天使から授かったキリストの包皮を口にして、彼女はその甘美さに酔いしれた、というのである。というのも、その包皮は、まさしく受難のキリストの血と肉、つまり聖体そのものにほかならないからである(Shell; White)。ここでもエロティックなものと聖なるものとが矛盾なく結びついている。

が、それだけではない。神秘体験において、「花婿」イエスの「花嫁」となって、イエスその人から、彼自身の「聖なる包皮」を結婚指輪として授けられたという修道女まで現われてくるのである。リング状の形がそうした連想を誘ったのであろうか。カトリック世界では広く名前の知れたドミニコ会の修道女、シエナのカテリーナ(一三四七―八〇)がその人で、今日のわたしたちにはエロティックにも聞こえるこの体験のことを、本人がその手紙のなかで告白しているのである(Shell; White)。

「神秘的結婚」と呼ばれるこの幻視体験は、先輩の聖女アレクサンドリアのカタリナのそれとともに、ルネサンスからバロックにかけてしばしば好んで絵画にも描かれてきたもので、たいていの場合そこには、成人のイエスではなくて、聖母マリアに抱かれた幼児のイエスから指輪を贈られる幸福そうな聖女の姿が描かれている。

たとえば流麗なタッチのグエルチーノ(一五九一―一六六六)の油絵(口絵16、一六二〇年、ベルリン美術館)では、下半身をさらすあどけない幼児イエスとカテリーナとがお互いに視線を交わしあっていて、マリアがそっと聖女の薬指に手を添えているところがクローズアップでとらえられている。バロックの画家はそれを、まるでごくさりげない日常の一コマのように再現している。

その指輪が正真正銘イエスの包皮かどうかまでは、残念ながら、絵から見分けることはできないのだが、「花婿」がこともあろうに幼児の姿をしているというのは、どこか思わせぶりではないだろうか。このテーマを描いた画家たち、そしてそれを見ていた当時のパトロンや信者

5 「傷(ウルヌス)」,「子宮(ウルウァ)」,「乳首(ウベル)」

たちのなかには、「聖なる包皮」の聖遺物のことはもちろん、シエナのカテリーナのいわくつきの神秘体験のことを知っていた者も少なくなかったはずだから、絵のなかの指輪に、イエスの割礼の包皮のイメージを重ねていたということは、十分に考えられるだろう。

傷のなかへと入る

さて、ここで改めてもういちどキリストの傷に話を戻すなら、豊かな比喩を駆使しながら、その傷口を、そこからキリストの体のなかへと入っていく扉口のようなものと解釈しているのは、前述した『雅歌について』のクレルヴォーのベルナルドゥスである。

それによると(第六一説教)、イエスは「神秘的な岩」であり、イエスの傷口は「岩の裂け目」であるという。そしてそこには、心地よい声で愛らしい姿の「鳩」――「聖霊」の象徴――が棲んでいる。まさしくそのようにイエスの「傷のなかに住まう」ことが理想だ、というのである。いわく、「イエズスの御傷を通してわたしは、岩の中から蜜を吸い、硬い岩から油を吸いました。すなわち、わたしは主イエズスが、どれほど愛情の深いかたであるかを味わい、それを見つめたのです」(山下房三郎訳)、と。

「傷」が「岩の裂け目」にたとえられるのは、『雅歌』の次の一節、「岩の裂け目、崖の穴にひそむわたしの鳩／姿を見せ、声を聞かせておくれ。／お前の声は快く、お前の姿は愛らしい」(2.14)を踏まえたものである。さらに、「岩」のなかに甘美な「蜜」が隠れているというたとえは、『申命記』――民を導く神は「野の作物で養い／岩から野蜜を／固い岩から油を得させられた」(32.13)――に依拠している。

いずれにしても、傷のなかに入ってそこに住まうとは、キリストと一体になるということにほかならない。しかも、そこに男女の差はない。男であれ女であれ、キリストと一体化することが求められているのだ。フランチェスコ会のボナヴェントゥラが『修道女たちに宛てる生の完成について』(VI.2)のなかで、修道女たちに勧めている傷の瞑想は、もっとストレートでエロティックでさえある。

> なんじ神のしもべよ、なんじの愛情（アフェクティオ）の足取りでもって、傷ついたイエスに、茨の冠をかぶせられたイエスに、磔にされたイエスに近づいていきなさい。そして祝福されたトマスと一緒にイエスの手に刻まれた釘の跡を見つめて、その場所になんじの指を置き、イエスの脇腹に触れてみなさい。しかしそれだけではありません。その脇腹の扉（ペル・オスティウム・ラテリス）を通って、全身で入っていき、イエスご本人の心臓にまで進んでいきなさい。そしてそこで、十字架にかけられた方の燃える愛（アモル）によって、キリストへと変容するのです。神の畏敬の釘に打たれ、親愛（ディレクティオ）の槍に心臓の底まで貫かれ、親密なる同情（コンパッシオ）の剣に刺されると、なんじは、十

5 「傷(ウルヌス)」,「子宮(ウルウァ)」,「乳首(ウベル)」

字架上でキリストとともに死ぬことよりほかには、何も求めることも望むことも欲することもなくなるのです(Bonaventura)。

こうしてボナヴェントゥラが修道女に指南するのは、いわば女キリスト——クリスタ——になることである。この短い文のなかだけでも、「アモル(愛)」はさらに、「アフェクティオ(愛情)」や「ディレクティオ(親愛)」ともいいかえられていて、仮に訳し分けてはみたが、いずれも「アガペー」につながるものであることに変わりはないだろう。とはいえ、相手の身体に触れ入っていくという表現によって、「エロス」との境界はほとんどぼやけているように思われる。

しかもこの「エロス」は、フロイトにならうなら、限りなく死の願望「タナトス」にも接近している。「同情」という意味の「コンパッシオ compassio」(英語でも「コンパッション」)とは、もともと文字どおり「ともに com」「苦しむこと/受難すること passio」にほかならないのだ。かくして、フォリニョのアンジェラ(一二四八—一三〇九)やシエナのカテリーナといった女性の神秘家たちが次々と、キリストの傷口から入って合体するという神秘体験を味わうことになる。彼女たちはまた、自分の身体が弓矢で射られ、短刀で貫かれたと感じる。それというのも、キリストが槍で刺され、息子を悼む母マリアがその胸を七本の矢で貫かれたように、自分たちも同じ苦しみを背負いたいと望んでいるからである。そこにはレイプを連想させるような、性的なニュアンスさえある(Miller)。

さらにここでボナヴェントゥラが、使徒トマスの名前を引いているのは示唆的である。師イエスの復活を信じることができないでいるこの弟子にたいして、イエスは、脇腹の傷に「触ってよく見なさい」と言葉をかけたのだった(『ルカによる福音書』24.39)。一方、『ヨハネによる福音書』(20.27)ではさらに踏み込んで、イエスはトマスに「あなたの手を伸ばし、わたしのわき腹に入れなさい」と促したと記されている。とはいえ、いずれにおいても、トマスが本当にそうしたかどうかまで書かれているわけではない。

5-11　デューラー《聖トマスの不信》

ところが、絵のなかではしばしば、トマスが実際にイエスの傷口に指を突っ込むところが描かれてきた。ここでもまたデューラーの木版画(5-11、一五〇九—一一年、『小受難伝』より)が顕著な例を提供してくれる。イエスがトマスの右腕をと

5-12 「聖トマスの指」の聖遺物

って脇腹の傷口にいざなうと、トマスはそこに触れるどころか、二本の指を傷穴に差し込んでいるのである。

カラヴァッジョもまたストレートに、トマスの人差し指がイエスの傷口に差し込まれるところを描いている(口絵17)。視覚と同時に触覚を働かせることで真理を文字どおり把握する場面なのだが、中世末期以来、イエスの傷口を女性器になぞらえる図像が流布していたとするなら、こうしたトマスの仕草は、性的な連想を誘わずにはいなかっただろうと想像される。人差し指をまっすぐに立てたトマスは、食い入るような鋭いまなざしで主の傷口を見つめている。他の使徒たちもその様子にじっと目を凝らしている。一方、そのトマスの右手を導くイエスの表情は、心なしか憂いに沈んでいるようにみえる。ローマには実際に、この「トマスの指」とされる聖遺物(5-12、ローマ、サンタ・クローチェ・イン・ジェルサレンメ聖堂)も伝わっているというから、キリストの傷にまつわるたくましい想像力には改めて驚かされる。

ところで、復活したイエスは、トマスには「触れてよく見なさい」と促しておきながら、マグダラのマリアにたいしては逆に、「わたしにすがりつくのはよしなさい(ノリ・メ・タンゲレ)」と制したとされる(『ヨハネによる福音書』20. 17)。この違いはやはり、女性を排除したホモソーシャルな弟子たちの関係性を暗示するようにも思われる。

豊かな乳房をもつキリスト

キリストの傷口が女性器への連想を誘っただけではない。女性と見紛うほどに豊かな胸をあらわにしたキリストという、とても珍しい図像まで残されているのである。ベルギーのレシーヌにある歴史博物館が所蔵する、作者不詳の一六世紀末の板絵《死せるキリストへの哀悼》(口絵18、103×73.5 cm)がそれである。この絵をもう少しよく見てみよう。

十字架から降ろされたばかりのイエスの遺体が、真っ白い布の上に横たえられている。胸元で両手を十字に組んでいるのだが、およそ男の乳房とは思えないほど豊かに膨らんでいて、右手の人差し指が左の乳首にそっと触れている(5-13)。過体重の男性にみられる乳房腫大でもあるまいに。

このたぐいまれな絵を所蔵するレシーヌの歴史博物館は、もともと一三世紀半ばに設立された女子修道院で、「薔薇の聖母」と呼ばれる病院(施療院)を併設していたが、一九八〇年代に

5-13　作者不詳《死せるキリストへの哀悼》(部分)

博物館に衣替えして一般公開された。この絵は、他のコレクションとともに博物館の公式サイトに正式に掲載されていて、近年修復されたことも報告されているので(Hôpital Notre-Dame à la Rose - Paintings (notredamealarose.be))、贋作でもなければ偽情報でもない。たしかに、修道女たちの信仰の対象になってきたものなのだ。

「死せるキリストへの哀悼」というテーマ自体は、中世以来よく描かれてきたなじみ深いもので、そこではたいてい、聖母マリアやマグダラのマリアらの女性に交じって、使徒ヨハネやアリマタヤのヨセフなど男性も姿を見せていた。ところがこの絵では、彼らは端役に回された代わりに、受難の主に深い哀悼の意を表する四人の女性の存在が画面を圧倒している。作者は不明だが、引き伸ばされた人体や複雑な衣襞(いへき)の表現からは、イタリアを中心に一六世紀半ばに流行したマニエリスム様式の影響を見てとることができる。

イエスの足元にいて、長い金髪を下ろしているのはマグダラのマリアである。画面左で、聖母マリアの背後から遠慮がちに合掌している若者は使徒ヨハネであろう。長い蠟燭をかざす二人の天使にはさまれるようにして、小さく人物が描かれているが、アリマタヤのヨセフにしては若すぎるようにみえる。いずれにしても、修道女たちは四人の女性にみずからを重ねるようにして、この絵を眺めてきたのだろう。

だが、それにしてもさながら両性具有のようなこうしたキリスト像は、いったいいかなる宗教的想像力から生まれてくるのであろうか。なによりもまず最初に連想されるのは、幼児イエスに授乳する聖母マリアのイメージであろう。マリアの豊かな胸こそが救世主を育んだのだ。

しかも、一四世紀以来盛んに描かれてきた「二重の執り成し」という図像においては、マリアの乳が、キリストの血とも密接に結びついている。すなわち、キリストは受難の血によって、マリアはその乳によって、人々の救済を神に執り成してくれるというわけである。たとえば、ベノッツォ・ゴッツォリ(一四二一頃―九七)がサン・ジミニャーノのサン・タゴスティーノ聖堂に描いたフレスコ画(5-14、一四六四年)では、天上の神が天使たちとともに、天罰の矢――ペストの象徴――を地上に投げようとしているのにたいして、この災禍から市民を守る聖セバスチャンの頭上にいて、イエスはその脇腹の傷を示し、マリアは両乳房をこれ見よがしなまでに

5-14　ゴッツォリ《聖セバスチャン》(部分)

さらすことで、人々の救済を神に執り成しているのである。

とするなら、ベルギーの絵のなかの豊かな乳房のキリストには、マリアによる執り成しの役目も重ね合わされているとみることは可能だろう。一枚の絵で二倍のご利益がある、というわけだ。脇腹の傷は右腕で隠れて見えないが、先述のように、右手の指は左の乳首に添えられている。そもそも、無償の愛によって人々を養うイエスを母性のメタファーで表象することは、とりわけ中世末期以来広く知られていた(Bynum)。さらに、この絵がもともと施療院でもある女子修道院のために描かれたことにかんがみるなら、ここでイエスは、マリアの「母性」をも一身に引き受けながら、病める人たちの治癒と救いの祈りに応えていたのだろうと想像される。

さらに補足しておくなら、中世から初期近世の医学・生理学において、血と乳とは基本的に別のものとはみなされていなかった(Evans)。母乳は、子宮から管を通って乳房に提供された血が白変したもので、乳に変じることのなかった分が月経の血となるとされた。男女の性交をダ・ヴィンチが描いた生々しいプロフィールの解剖図(5-15、一四九二年頃、ロンドン、王室コレクション)では、画面左の女の子宮から一本の管が乳首に向かって出ているのがわかる。一七世紀の生理学者レニエ・ド・グラーフによる解剖図(5-16、一六七二年、アムステルダム、国立美術館)においても、子宮から二つの乳首に向かって管が出ていて、その先には乳首を吸っている二人の人物の横顔がみえる。赤い血は、女性の体内で白い乳に変わることで、人々を養い救う

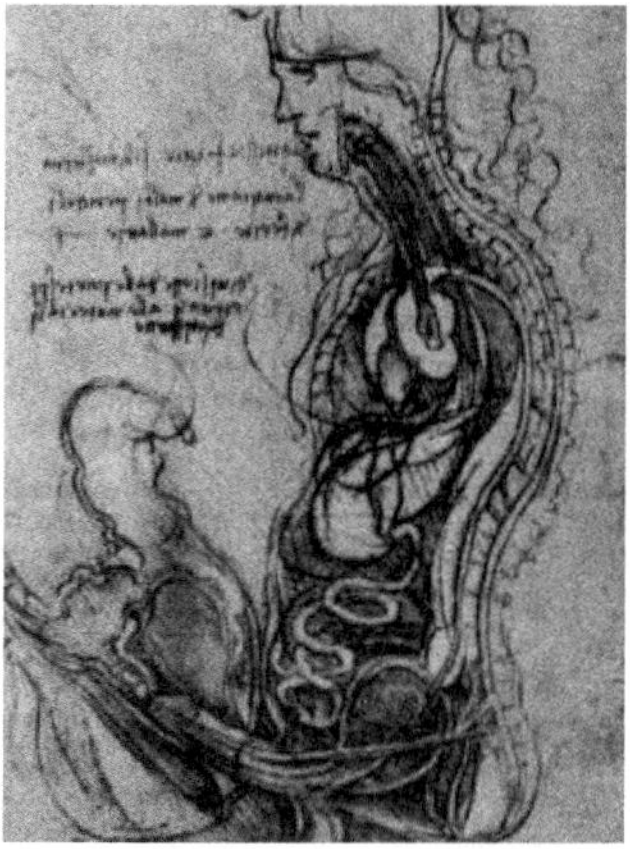

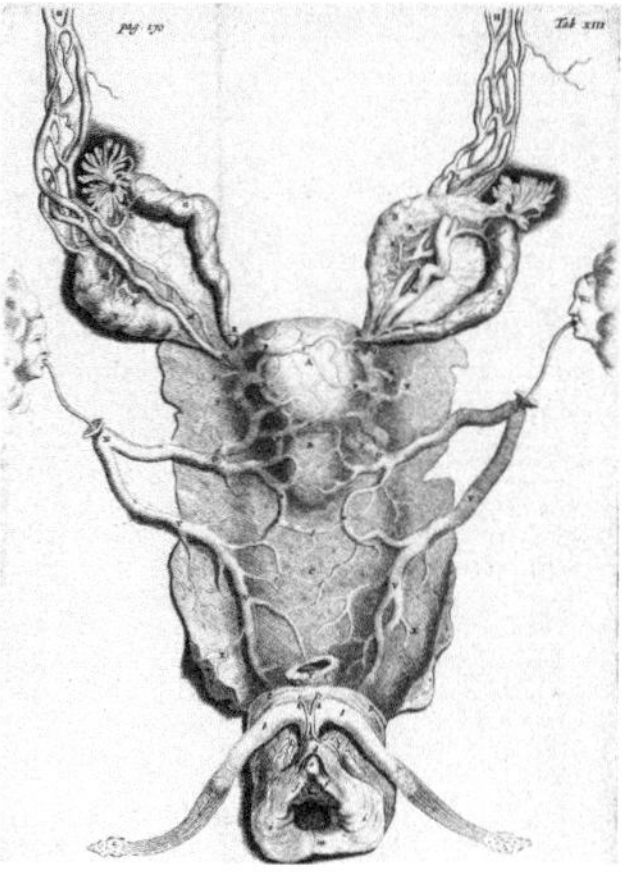

上：5-15　ダ・ヴィンチ《男女の性交》
下：5-16　レニエ・ド・グラーフに基づく子宮の解剖図

というわけである。このように生理学的にも、血と乳は切り離しえないものとされていたのだ。

「あなたの乳房はぶどう酒にもまして快く」

さて、改めて問題の絵のイエスの豊かな乳房に戻るなら、くわえてここには、『雅歌』とその解釈の伝統もまたこだましているように思われる。『雅歌』の冒頭に「ぶどう酒にもましてあなたの愛は快く」(1.2)とある。ここで「あなた」とは「花婿」のこと。日本語で「愛」と訳されているのは、ラテン語のウルガタ聖書では「ウベラ ubera」とつづられる。これは、「乳房、乳首」を意味する「ウベル uber」の複数形である。それゆえこの部分は直訳すると、「あなたの乳房はぶどう酒にもまして快く」となる。しかも前にも述べたように、『雅歌』の「花婿」がイエス・キリストのことだと解釈されてきたとするなら、この一節はまた「キリストの乳房は快く」とも読めることになるわけだ。その乳房は、神の慈愛の象徴でもあるのだろう。

実際、これまでにも何度か登場願ったベルナルドゥスの『雅歌について』(第九説教)によると、「乳房はわたしたちを、神のことばの美味と滋養で養ってくれるばかりでなく、なおその上、キリストの行ないの良いかおりを、わたしたちの周囲にまき散らしてくれる」とされる。さらに彼によると、花嫁が花婿に向かって「あなたの乳房はぶどう酒にまさっている」といったのには、次のような意味があるという。少し長くなるが、重要な鍵となる一節なので引用しておきたい。

あなた〔花婿〕の乳房からほとばしりでる豊かな恩寵は、わたしの霊的進歩にとって、わたしの上長たちのどんなきびしい忠告よりも、はるかに大きな効果があります。〔……〕あなたは、ご自分の内的甘美の乳で、教会内の人びとをお養いになるばかりでなく、なおそのうえ、教会外の人びとにも「良い評判」という名のかんばしい香油のかおりを発散しておられるからです。教会内の人はご自分の乳で養い、教会外の人にはご自分の良い評判の芳しい香油のかおりを発散してくださいます(山下房三郎訳)。

5-17　ベッリーニ《祝福のキリスト》

このように、『雅歌』解釈の伝統において、面白いことにも、キリストの乳房にはマリアの乳房にも比肩するような——もしくはそれ以上の——意味が与えられてきたのである。このことを念頭に置くなら、たとえばジョヴァンニ・ベッリーニが、その美しいテンペラ板絵《祝福のキリスト》(5-17、一四六〇年頃、パリ、ルーヴル美術館)において、その脇腹の傷とともに、豊かな乳房ではないとしても、なぜわざわざ乳首を目立つように描き込んだのかもよく理解できる。しかも、この傷と乳首をかいま見せている衣に空いた穴は、先に紹介した外陰部状の傷口と同じような形をしている。過剰な解釈という非難を覚悟のうえであえていうなら、ベッリーニはキリストの身体の上で、傷と乳首と女陰を合体させているのである。そのサイズ(58×44㎝)から察するに、この小さな絵は個人の礼拝用に描かれたものと想像される。

両性具有としてのキリスト

ところで、キリストを一種の両性具有的な存在であるとみなすのは、もちろん正統的ではないとしても、そんなに珍しいことではない。グノーシス主義ではそれはいわば自明の理である。キリストの言葉を記したとされる『トマスによる福音書』には、「あなたがたが、二つのものを一つにし、内を外のように、外を内のように、上を下のようにするとき、あなたがたが、男と女を一人(単独者)にして、男を男でないように、女を女(でないよう)にするならば」天の御国に入る(語録22、荒井献訳)、とある。キリスト本人がこういうからには、彼は男性と女性の区別を超えた存在にちがいない、ということになるだろう。キリストにおいていみじくも、男と女、内と外、上と下という反対が一致するのである。

同じくグノーシス文書のひとつに数えられる『イエスの知恵』によると、「人の子」すなわちイエス・キリストには、男性としての名前と女性としての名前があって、前者においては「救い主」、後者においては「パーンゲネテイラ・ソフィア(すべてを生み出す女なる知恵)」あるいは「ピスティス(信仰)」とも呼ばれる、という。

早くからグノーシス主義は異端もしくは異教とみなされ排除されてきたという歴史があるが、もとをたどればしかし、四福音書や使徒パウロの書簡のなかにもすでに、イエスの両性具有的側面を暗示させるような記述がないわけではない。

たとえばパウロはしきりに、人は誰もが「キリストに結ばれて一つの体」を形づくっていると説く(『ローマの信徒への手紙』12.5;『コリントの信徒への手紙一』12.27)。さらに同じくパウロによると、信仰によって結ばれるとき、そこにはもはやユダヤ人もギリシア人もなく、奴隷も自由な身分もなく、男も女もない、つまり人種や身分や性別の違いは解消する、とされる。なぜなら、「あなたがたは皆、キリスト・イエスにおいて一つだから」である(『ガラテアの信徒への手紙』3.28)。福音書記者ヨハネにおいても、イエスのミッションとは、「すべての人を一つに」する(『ヨハネによる福音書』17.21)ことにほかならない。

これらの言葉はもちろん、キリストの救済において分け隔てはないことを意味しているので

5 「傷(ウルヌス)」,「子宮(ウルウァ)」,「乳首(ウベル)」

あろうが、歴然と身体的な比喩が用いられているために、ほかでもなくキリストの体のうちに男と女が合体しているという連想が働くとしても無理はないだろう。初期キリスト教時代を代表する神学者のひとり、アレクサンドリアのクレメンス(一五〇頃―二一五頃)も、その書簡のなかで、救済のときには「男が女と共になって、男でも女でもなくなる」(「クレメンスの手紙 コリントのキリスト者へ(Ⅱ)」)と明言している。

この言い回しはどこか異教神話における両性具有神ヘルマフロディトスを想起させるところがある。神々の使者ヘルメスと、美と愛の女神アフロディーテのあいだに生まれたこの美少年は、水の精サルマキスにみそめられて強姦され、ひとつの身体に合体したのだった。『変身物語』のなかでこの神話を伝えるオウィディウスは、これを男と女の「どちらでもなく、どちらでもある」と形容していたのである。

さらに、プラトンが『饗宴』のなかで語る名高い「ふたなり」の神話、「アンドロギュノス」の存在を忘れることはできないだろう。それは、二つの性が分離するよりも前の球体をした完全な人間の形象とされる。

ユダヤ教やキリスト教における最初の人間アダムもどこかこれに近いところがある。神が自分にかたどって創造したというアダム、そしてそのアダム(の肋骨)からイヴがつくられることになるわけだが、そうであるからにはアダムのうちにすでに女性が潜在していたことになる。

しかも神がその原型である以上、神もまた両性をあわせもつ存在である。こうした神やアダムの両性具有性もまた、グノーシス主義においては疑う余地のないこととされる。そこにはおそらくプラトン的な考えもこだましている。

あるいは、高名な宗教学者ミルチャ・エリアーデ(一九〇七―八六)も明らかにしたように、両性具有における反対の一致という深遠な理念は、ギリシア神話やユダヤ・キリスト教だけに限らず、およそあらゆる宗教に通底する文化横断的な神話の原型とみなすこともできるかもしれない(『悪魔と両性具有』)。

西洋で中世から近世にかけて一大ブームとなった錬金術において、反対の一致は、いわゆる「賢者の石」の重要な属性とみなされる。卑金属を金に変える触媒の役割を果たすのがこの「賢者の石」で、それは、硫黄と水銀とによって代表される、熱くて乾いた性質(男性性)と、冷たくて湿った性質(女性性)とをあわせもつとされる。太陽にして月、父にして母でもある「賢者の石」は、ヘルマフロディトスになぞらえられ、さらにはキリストにも比肩されてきた(DeVun)。

こうした「錬金術のヘルマフロディトス」は、しばしば胴体から上が男と女とに分かれた姿(5-18、一四二〇年代、『立ち上る曙(アウローラ・コンスルゲンス)』より、チューリッヒ、中央図書館、MS Rhenoviensis 172)で描かれてきたが、それは、中世のオウィディウス『変身物語』の手写本

5「傷(ウルヌス)」,「子宮(ウルウァ)」,「乳首(ウベル)」

左：5-18 《錬金術のヘルマフロディトス》
右：5-19 《ヘルマフロディトス》

中のヘルマフロディトスのイメージ(5-19、一五世紀、パリ、国立図書館、MS Fr. 137, fol. 49)とひじょうによく似ている。さらに興味深いことにも、同じような「ふたなり」の図像は、先述のように中世において、アダムの脇腹からイヴが生まれるところ(5-20、一二世紀、『ヘクサメロン』より、アミアン、市立美術館、MS Lescalopier 030, fol. 10v)や、十字架のキリストの脇腹から教会(エクレジア)が誕生するところにも広く認められるのである。ちなみに、キリストが転倒した悪魔的なキャラクター、アンチキリストもまた両性具有とみなされた。

二〇世紀でもマルク・シャガールは、おそらくこうした伝統を踏まえて、両性具有的な楽園のアダムとイヴ(5-21、一九一二年、ビルバオ、グッゲンハイム美術館)を何度か描いている。さらに、錬金術の影響を強く受けたカール・グスタフ・ユングが、このイメージを心理学に応用して、男性のうちにある女性的側面と女性のうちにある男性的側面を、それぞれ「アニマ」と「アニムス」と呼んだことは、すでによく知られるところだろう。ユングはこれを、個人を超えた古来の集合的無意識とみなしたのだが、だとすると、この章でたどってきたような、神やキリストをめぐるジェンダーの交差もまた、こうした集合的無意識とつながっているのかもしれない。

上:5-20 《アダムからのイヴの誕生》
下:5-21 シャガール《アダムとイヴ》

6 「スピリット」とは何か

キリスト教では古くから三位一体という教理が支持されてきた。すなわち、父なる神と子のイエスと聖霊(スピリット)の三つは、それぞれ別のものではなくて、同じひとつの実体の三つのあらわれ——位格(ペルソナ)——にほかならない、とみなす考え方である。ラテン語の「ペルソナ」にはまた「仮面」という意味もある。とすると、三位一体とは、同一者が三つの仮面をかぶっているということでもあるだろう。

もちろん、初期キリスト教の時代には、それとは別の見方もあった。たとえば、子の神性は神のそれよりもやや劣るとする説(アリウス派)や、子のイエスは実は人間の子で洗礼の後にはじめて神の子になったという説(養子的キリスト論)などである。ところが、四世紀にくりかえされた公会議によって、これらはことごとく異端とみなされ、三位一体のみが正統とされるに至ったという経緯がある。正直なところ、異端とされた考え方のほうが実感としてはわかりやすいのだが。

「聖霊」のかたち

いずれにしても、キリスト教は原則的には一神教なのだが、それにもかかわらず最初から父と子の二つに分裂していて、さらにその子を産んだマリアの存在も大きな位置を占めてきた。というのもマリアは神の聖霊によって、処女のまま神の子イエスを宿したとされるからである。

このことにかんがみるなら、キリスト教はその起源からすでにある意味で多神教的な側面をもってきたように思われる。実のところ、一神教と多神教とのあいだには、必ずしも（ドグマ的で原理主義的に）厳密な境界線が引けるというわけではなくて、緩やかなつながりがあると考えたほうがよさそうだ。

そのマリアが、処女であるにもかかわらず、イエスを子宮に宿す原因となったのが、ほかでもなく神の「聖霊」である。『ルカによる福音書』のなかでその顛末が語られる。いわゆる「受胎告知」として、何度も絵にも描かれてきた出来事である。神から遣わされた大天使ガブリエルが、マリアに次のように告げたのだった。「聖霊があなたに降り、いと高き方の力があなたを包む。だから、生まれる子は聖なる者、神の子と呼ばれる」(1.35)。身に覚えがないマリアは最初、恐れ戸惑い考え込んでしまうのだが、最後には「主のはしため」とみずからへりくだって、自分に降りかかった運命を甘んじて受け入れたのである。

つまり、糴麼を買うことはあえて覚悟のうえでいうなら、マリアは一方的に神から「聖霊」を胎内に送り込まれ、それが原因で妊娠するわけだ。事実、福音書記者ルカは、身に覚えのないマリアがお告げを聞いてうろたえる様子にも言及している。

古代ギリシア以来の生理学では、生まれてくる子の特徴(形相)はもっぱら父親(の精液)が決定し、母親は子宮(質料)を提供するにすぎないという考え方が支配的だったから、神の子とされるイエス誕生のメカニズムも、どこかこれに近いことになる。そもそも、福音書はギリシア語で著わされ、その著者たちは、ヘレニズム文化にも通じていたのだ。マタイとマルコとヨハネの三人がユダヤ人だったのにたいして、一説によると、「受胎告知」を報告しているルカはギリシア人で、しかも医者だったとみなされてきた。

ここで「聖霊」と呼ばれているギリシア語は「プネウマ」、そのラテン語訳が「スピリトゥス」で、英語の「スピリット」の語源となったものでもある。

では、新約聖書の別の個所において、この「聖霊」(もしくは「霊」と訳されることもある)はどのような役割を演じているだろうか。「神は霊である」、単刀直入にこう明言するのはヨハネである(『ヨハネによる福音書』4.24)。その神の「霊」は、イエスがヨルダン川で洗礼を受けているときに、「鳩のように」天からイエスのもとに降りてくる。この記述は、珍しく四人の福音書記者のあいだで一致をみている(養子的キリスト論のひとつの根拠もここに求められる)。イエス洗礼の場面が描かれるとき、その頭上にはたいていこの鳩がとまっている。また、受胎告知の場面でも伝統的に、神の聖霊は天から降りてくる鳩の姿をとってきた。

それにしても、なぜ聖霊は鳩の姿になぞらえられるのだろうか。平和や希望の象徴としての鳩は、今日のわたしたちにもなじみ深いが、その起源のひとつは、『創世記』のなかで語られるノアの洪水の名高いエピソードにある。地上から水が引いたかどうか確かめるため、ノアが鳩を方舟から放つと、その鳩はオリーヴの葉を加えて戻ってきたのだった。それゆえ、鳩は新たな生の始まりを告げ、希望をもたらすものである。パウロによれば、「希望はわたしたちを欺くことがありません。わたしたちに与えられた聖霊によって、神の愛がわたしたちに注がれているからです」(『ローマの信徒への手紙』5.5)、となる。

さらに聖霊は、「風」や「炎」の姿をとってあらわれる。イエスの復活後、使徒やマリアを中心に信徒たちが集まっていると、突然、「激しい風」が吹いてきて、「炎のような舌」がひとりひとりの上にとまったという、いわゆる「聖霊降臨」の出来事がそれである(『使徒言行録』2.2-3)。

「聖霊」のジェンダー、男性性と女性性の揺れ

ところで、神には「父なるPater」と冠され、イエスはその「息子Filius」で、しかも「聖

霊Spiritus」は父から発出されるものだとすると、それらは別の位格ながらも実体においては同じひとつのものだという三位一体は、それ自体きわめて男性中心主義的な教理だということになるだろう。しかも、都合のいいことに、ラテン語の「スピリトゥス」は男性名詞ときている。

しかしながら、実際はそれほど単純な話ではない。「聖霊」によって子を孕んだとされるマリアの存在を無視することはできないからである。それゆえ、長い論争の末にとりわけ五世紀以来、「テオトコス」すなわち「神の母」という称号がマリアその人にたいして与えられてきたのも偶然ではない。

たしかに、父なる神と息子イエスは別にして(さらに前章で見てきたような両性具有ととらえる系譜は別にして)、「聖霊」にはジェンダーをまたぎうる要素が残されている。あるいは、男性/女性、人称/非人称、自然/超自然、物質/非物質などといった通常の二元論的な発想を超える要素がある(Castelo)、といってもいいだろう。このことは文法上にも反映されているようで、「聖霊」を意味するラテン語の「スピリトゥス」は男性名詞なのだが、ヘブライ語の「ルーアハ」は女性名詞で、ギリシア語の「プネウマ」は中性名詞である。

男性中心主義的な三位一体の教理が、別の解釈の可能性にも開かれうるとすれば、それは、まさしく「聖霊」をいかにとらえるかにかかっているのだ。三つのペルソナ(位格にして仮面)

のうちひとつが女性ならどうだろうか。

たとえば、二世紀後半にさかのぼるグノーシス主義の『フィリポによる福音書』(§17a)には、次のようにある。「マリアは聖霊によって孕んだ」と主張する者たちは間違っている。「彼らは一体何を喋っているのか知らないのだ。一体いつの日に女が女によって妊娠することがあり得るだろうか」(大貫隆訳)、というのだ。ということはすなわち、聖霊は「女」とみなされていることになる。

さらに、遅くとも三世紀には成立していたとされる『使徒ユダ・トマスの行伝』(50)によると、「聖なる鳩よ、／隠された母よ、来たりませ。／あなたの業の中に現われ、あなたと交わるすべての人々に、／喜びと安息を与えるお方よ、来たりませ」(荒井献訳)、となる。ここで聖霊は、「鳩」にも「母」にもなぞらえられているのである。

同じくトマスの名を冠したグノーシス主義の外典『トマスによる福音書』(語録101)において、イエスはこう諭している。「私のように〔その父〕とその母を愛する〔ことのない〕者は、私の〔弟子〕であることができないであろう。なぜなら、私の母は〔破損のため不明〕。しかし〔私の〕真実の〔母〕は私に命を与えた」(荒井献訳)。訳者によると、破損のために不明の部分は、実は「聖霊」である可能性が高いという。

とはいえこうした考え方は、三位一体が四世紀に教義として固まっていくなかで、異端的なものとして退けられるようになったのだろう。

しかしながら、聖霊を女性性においてとらえる見方が途絶えてしまうわけではない。それを証言しているのは、聖霊をずばり「キリストの母」と呼び換えている、オリゲネスである(『ヨハネによる福音注解』2.12)。新約聖書外典の『ヘブル人福音書』を引きながら、このアレクサンドリアの神学者は、次のように述べるのだ。「〔聖霊は〕「天におられる父のみ旨」を行うのですから、「キリストの母」とよばれる〔他の〕すべてのものにまして、聖霊が〔キリスト〕の母であると言われるのも不当なことではありません」(小高毅訳)。

とすると、聖霊は聖母マリアにもきわめて近い存在とみなされうることになるだろう。このような読みは、中世において、三位一体をめぐる非公式で異端的とされた想像力豊かな図像の展開へとつながっていくことになるが、これについては、もう少し後で具体的に検討したい。

「カリタス」としての聖霊

一方、正統派の最右翼とされるアウグスティヌスでさえ、「聖霊」を女性的なメタファーで語っている。「聖霊」は「カリタス(愛)」だと明言しているのである(『三位一体』1529)。ここで「スピリトゥス」は男性名詞だが、「カリタス」は女性名詞である。しかも彼によると、この「聖霊」は、父なる神と子イエスを結びつけている「カリタス」でもあるのだが、母マリアがあいだに介在していることで、子イエスにたいして、神としての性格(神性)のみならず人としての性格(人性)をも授けている、という(同1546)。「カリタス」としての「聖霊」は、神性と人性をつなぐ存在でもあるのだ。

「聖霊」を「カリタス」と読み替えるアウグスティヌスにおいて、「カリタス」の女性性は、言葉の綾ないし文法的性の問題に過ぎない、という反論が返ってくるかもしれない。もちろんそれは誤ってはいない。とはいえ、この神学者がそこで育ち親しんだ古代ローマの異教文化において、「カリタス」ははっきりと女性の姿で描かれてきた。「ローマのカリタス(慈愛)」がそれで、餓死刑にあった父親キモンを助けるために、ひそかに自分の乳を与えてその命を救おうとする娘ペローの話である。古代ローマの歴史家ウァレリウス・マクシムスや博物学者大プリニウスが伝えているので、アウグスティヌスがこの話を知らなかったとは考えられない。

父にたいする娘の無償で犠牲的な愛をめぐる教訓譚なのだが、どこか近親相姦的で家父長的な含意がなくはない。老いた白髪の父が若い娘の乳をむさぼっている、エロティックでクィアな雰囲気のポンペイのフレスコ画(6-1、紀元前一世紀、ナポリ、国立考古学博物館)のような絵も残っている(そのエロティシズムのゆえにバロックで好んで描かれるテーマになる)。

一方、イシスとホルスに代表されるように、母から子への授乳というモチーフは、「クーロトロポス」――「子を授乳する者」「子を養育する者」――と呼ばれ、ローマ帝国末期にはまだこうした異教の女神たちへの信仰が広く残っていた(聖母マリアが幼児イエスに授乳する図像の原点でもある)。

この「クーロトロポス」と「ローマのカリタス」とを合体させて、みずからのコインに鋳造させたのが、コンスタンティヌス大帝の二番目の妻フラウィア・マクシマ・ファウスタ(二八九—三二六)である。そこには、自分の二人の息子に乳を授ける彼女自身の姿が刻まれていて、いくつかのヴァージョンが伝わっている(6-2、四世紀)。

こうした図像が含意しているのは、母にして王妃の授乳を介して、父たる王の神聖な力と皇

上：6-1 《ローマの慈愛(キモンとペロー)》
下：6-2 《フラウィア・マクシマ・ファウスタ》

帝権の正統性が息子に伝えられていく、ということである(Sperling)。周知のように、コンスタンティヌス帝はキリスト教を最初に公認した皇帝だから、このような図像にはすでに、異教とキリスト教との習合が認められるように思われる。このコインが流布していたのは四世紀のこと、それゆえアウグスティヌスも目にする機会があったと想像される。

いずれにしても、キリスト教に回心する前は異教文化に心酔していたとみずから告白するこの神学者のことだから、「カリタス」が女性性や母性と強く結びついてきたことを知らなかったとは考えられないだろう。その「カリタス」に三位一体の「聖霊」がたとえられているのだ。

その後「カリタス」は、中世のキリスト教美術において、聖霊の図像からは独立して、二人の幼児を授乳する母親の寓意像として流布していくことになる。彫刻家ティーノ・ディ・カマイーノ(一二八〇―一三三七)が、威厳と品格にあふれるその姿(6-3、一三二〇年頃、フィレンツェ、バルディーニ美術館)を大理石に刻んでいる。

6-3 ティーノ・ディ・カマイーノ《カリタス》

「ソフィア(知恵)」としての聖霊、あるいは神の女性性

一方、「聖霊」を「ソフィア(知恵)」になぞらえているのは、先にもふれた『使徒ユダ・トマスの行伝』である。「ソフィア」もまたギリシア語の女性名詞で、トマスは「少女」と呼んで「ソフィアの讃歌」なるものを披露する。いわく、「少女は光の娘、彼女に王らの高貴な輝きが在りて在る。／その顔は喜びに満ち、／まばゆきばかりの美しさに光り輝く」(荒井献訳)、と。

とはいえ、「霊(プネウマ)」を「知恵(ソフィア)」に結びつける考え方は、早くもすでに使徒パウロの『コリントの信徒への手紙一』のなかに認められる。それによると、「神の知恵」は「世界の始まる前から定めておられたもの」であり、神は「〝霊〟によってそのことを明らかに示してくださいました」(2.7-10)、というのである。これを受けるようにしてアウグスティヌスもまた、「あなた〔神〕から生まれ、あなたに等しく、あなたとともに永遠であられるあなたの知恵」(『告白』13.5)と呼んでいる。

パウロのこの解釈は、『創世記』の冒頭(1.2)、「神の霊が水の面を動いていた」を踏まえたものである。さらに、この「霊(ルーアハ)」を神の「知恵(ホクマー)」と同一視する見方は、すでに旧約聖書のなかで芽生えている。たとえば、『箴言』において「知恵」が一人称で、こう呼びかける。「主は、その道の初めにわたしを造られた。／いにしえの御業になお、先立って。

永遠の昔、わたしは祝別されていた。太初、大地に先立って。／わたしは生み出されていた／深淵も水のみなぎる源も、まだ存在しないとき」(8.22-24)、と。つまり、創造の六日間がはじまるよりも前に、神はまず「知恵」を生みだし、この「知恵」とともに世界を創ったというのだ。ちなみにヘブライ語の「ホクマー」は女性名詞である。この「知恵」は、『創世記』の冒頭にある「神の霊」とも重なるものとみなされる。

このように擬人化されてもいる「知恵」はつづけて、「〔主の〕御もとにあって、わたしは巧みな者となり／日々、主を楽しませる者となって／絶えず主の御前で学を奏し／主の造られたこの地上の人々と共に楽を奏し／人の子らと共に楽しむ」のだと、誇らしげに語る(『箴言』8.30-31)。

つまり「知恵」は、神の「霊」にして、神の娘でもあるわけだ。『詩編』にもまた、「主よ、御業はいかにおびただしいことか。／あなたはすべてを知恵によって成し遂げられた。／地はお造りになったものに満ちている」(104.24)、とある。

さらに「知恵」を「花嫁」になぞらえるのは、旧約聖書続編の『知恵の書』(8.2-4)である。「知恵は神と共に生き、その高貴な出生を誇り、／万物の主に愛されている。／知恵は神の認識にあずかり、／神の御業を見分けて行う」。「知恵」はこのように、神の愛される良きパートナーでもあるのだ。

旧約聖書外典『ソロモンの知恵』においても、「知恵」は「花嫁」であり、「霊が宿る」とされ、「知恵の霊」とも呼ばれる。「彼女は神とともに住んで、／その尊貴な生まれを誇り、／万物の主は彼女を愛した。／彼女は神の認識に与り、／彼の業を選ぶ者となったからだ」(関根正雄訳)と讃える。「知恵」は、神の「霊」でもあれば「花嫁」でもある。

意外に思われるかもしれないが、旧約聖書のなかには、神を女性の、とりわけ母性のイメージでとらえた個所が少なくない(Schäfer)。その数は新約聖書よりもはるかに多いとさえいえるかもしれない。その主たるものを以下に引いておきたい。

たとえば『申命記』では、養い育てる神が鷲の母鳥にたとえられる。「鷲が巣を揺り動かし／雛の上を飛びかけり／羽を広げて捕らえ／翼に乗せて運ぶように／ただ主のみ、その民を導き」(32.11-12)、というわけである。さらに、「産みの苦しみをされた神」(32.18)とあるように、神は世の母親たちと同じように産みの苦しみさえ味わうのだ。

預言者イザヤでもまた、神はみずから「今、わたしは子を産む女のようにあえぎ／激しく息を吸い、また息を吐く」(『イザヤ書』42.14)と語り、同じく産痛の比喩が使われている。この神は、母親のように子に乳を与え、慰め慈しむ神でもある。いわく、「女が自分の乳飲み子を忘れるであろうか。／母親が自分の産んだ子を憐れまないであろうか。／たとえ、女たちが忘れようとも／わたしがあなたを忘れることは決してない」(49.15)、と。さらに、「母がその子を慰めるように／わたしはあなたたちを慰める。／エルサレムであなたたちは慰めを受ける」(66.13)、という。

神への讃歌、ダヴィデの『詩編』においてもまた、神は母性のイメージに重ねられる。「わたし〔ダヴィデ〕を母の胎から取り出し／その乳房にゆだねてくださったのはあなたです。／母がわたしをみごもったときから／わたしはあなたにすがってきました。／母の胎にあるときから、あなたはわたしの神」(22.10－11)、といった具合に。さらに、「主よ、わたしの心は驕っていません。〔……〕わたしは魂を沈黙させます。／わたしの魂を幼子のように／母の胸にいる幼子のようにします」(131.1－2)ともある。ユダヤ神秘主義カバラにおいて、地上における神の現前でもあれば、神の花嫁でもある存在は「シェキナー」と呼ばれるが、その原点は、神の女性的原理に言及した旧約聖書の数々にあったのだ。

くどいという批判を覚悟のうえで、ここであえてこれらを列挙してきたのは、旧約聖書の神のこうした「母性」の側面に、これまであまり光が当てられてこなかったように思われるからである。ユダヤ教であれキリスト教であれ、本来は性やジェンダーに関してかなり寛容な部分もあったのではないだろうか。これらもまた単なるメタファーにすぎないではないか、という反論が返ってくるかもしれない。しかし、メタファーこそが、わたしたちの詩的で美的で宗教的でもあるような感性と想像力を豊かに培ってきたのだ。

グノーシス主義の「ソフィア」

一方、初期キリスト教時代において、こうした「知恵」ないし「霊」の女性的側面をさらに発展させたのは、異端もしくは異教として排除されたグノーシス主義の影響を色濃くとどめるナグ・ハマディ文書(一九四五年にエジプトで発見された古文書。前出の「トマスによる福音書」も含まれる)の数々であろう。

『イエスの知恵』において、「ソフィア」は「すべてのものの母」とされ、救い主の「(女性的)伴侶」とも呼ばれる。そしてさらに、「ある人々が愛と呼び慣わしているもの」や「ピスティス(信仰)」ともいいかえられる。すなわち、両性具有的な神の「男性性のほうは、救い主、すべてのものを生じさせる者」であり、その「女性性は、ある人々がピスティス(信仰)と呼び慣わしている、パーンゲネテイラ・ソフィア(すべてを生み出す女なる知恵)である」(小林稔訳)、というわけだ。

『ヨハネのアポクリュフォン』においても、「ソフィア」は神のなかの女性的な原理とされ、この世の創造に積極的に関与している。彼女は「自分の中から自分の影像を出現させたいと欲した」(§26)。この「ソフィア」は、神の同意を得ないまま「彼女のうちにある情欲」に任せて「過失」――つまり物質世界の創造――を犯したのだという。だが彼女は「自分の欠乏に気付いた」ために「揺れ動き」、「後悔した」(§42-44)。ここでは、「ソフィア」の位置がやや制限され、その否定的な側面が際立たされているが、それはどちらかというと、キリスト教の男性中心的な救済論に影響された結果であるとみなす研究者もいる(Arther)。

同様の傾向は、『イエスの知恵』や『魂の解明』にも認められる。『イエスの知恵』において、「知恵」が欠陥から解かれて義とされるのは、「大いなる救い主」のおかげであるという。『魂の解明』では、「魂はその本性からして女性である。それは子宮をさえ持っている」。ところが彼女は「多数の盗賊」によって賎しめられ、堕落してしまって、「売春婦」のようなものになってしまうのだが、その「魂」を改心させて救うのは「父」である。

アダムとイヴの第三子セツの名前を冠した『セツの三つの柱』によると、最初に起こった神の流出は「男性的処女バルベーロー」と名づけられる。それは、「見えざる神の栄光」であり、「完全な者と呼ばれる者(女性)」でもある。さらにこの「完全な者」をめぐって、「あなたは知恵(ソフィア)、あなたは認識(グノーシス)、あなたは真理です。あなたゆえに生命はあります」(筒井賢治訳)などともいいかえられる。

一方、神による天地創造の前から「霊」にして「知恵」が存在していたという旧約聖書のテーマを発展させているのは、『この世の起源について』である。「ピスティス(信仰)」から流出した「ソフィア」は、すでにカオス以前に最初から存在している。その彼女が、物質とあらゆる諸力の上に君臨する両性具有のアルコーン(支配者)たる「ヤルダバオート」――「カオスの子」――を水のなかに生みだすと、彼女は天へと戻ってゆき、このヤルダバオートをはじめとする七人のアルコーンによって物質界の創造が進行していく、という筋書きである。

とはいえ「ソフィア」は天上からこの創造をしっかりと見守っている。アルコーンの造ったアダムにはいまだ息がないのだが、これを与えるのは、彼女の役目である。『創世記』においては神がアダムに吹きこんだとされる「命の息」は、実はソフィアに由来する、というのだ。

また、彼女は自分の娘「ゾーエー(生命)」を「教示者」として地上に送ると、これがイヴとなり、アダムを起き上がらせる。聖書とは逆に、ここではアダムよりもイヴのほうが優位に立っている。アダムはイヴに向かって、「お前は「生ける者たちの母」と呼ばれるであろう。私に命を与えてくれたのはお前であるから」と讃える。二人が楽園の「知識の木」から実をとって食べたという出来事に関しても、アウグスティヌス流の正統におけるのとは対照的に、原罪で堕落するどころか、「知識の光が彼らに輝いた」と解されているのである。

こうした神の女性的側面を代弁するような「ソフィア」をめぐっては、むしろ東方の正教会にその信仰が受け継がれていったように思われる。コンスタンティノープルやキーウに立つ名高いハギア・ソフィアは、文字どおり「聖なる知恵」をその名にもつ大聖堂である。

正教会ではまた、「神の知恵ソフィア」を主題にしたイコンが盛んに描かれてきた。それは、天使のように翼をもち王冠をつけて玉座にすわる「知恵」の寓意像として表わされる(6-4、一五世紀、ロンドン、大英博物館)。左右に聖母子と洗礼者ヨハネを従えた彼女は、世界を象徴する球体を足で踏み、その頭上には神が姿をあらわしている。こうした図像が象徴しているのは、たとえば先に引用した『詩編』に謳われていたように、神が「善き伴侶」の「知恵」とともにあり、「知恵」によってすべてを成し遂げたということである。

一方、二世紀のローマには、ハドリアヌス帝によって殉教したとされる聖ソフィアなる女性がいたとされ、カトリックと正教会の両方で信仰を集めてきた。彼女には、パウロの教えにあやかって「信仰(ピスティス)」と「希望(エルピス)」と「慈愛(アガペー)」と名づけられた三人の娘がいたのだが、残酷にもこの娘たちが次々と拷問を受けて殉教していくのを強引に見せられたうえに、その埋葬までさせられて、苦しみに耐えきれず三日後に娘たちの墓のそばで息絶えたとされる。

この聖女の名を冠した教会堂がイタリアやフランスなどにいくつか残り、数こそ多くはないものの、たとえば一五世紀の作者不詳の彩色木彫(6-5、エシャヤウ、サン=トロフィーム聖堂)が示しているように、母ソフィアと三人の娘を表わした図像も伝わっている。母ソフィアの姿には、マントを広げて信者をその下に守る「慈悲の聖母」のイメージが重ねられている。この図像は正教会でもイコンとして描かれてきた。

四人の名前から察するに、彼女らは実在の殉教者というよりも、寓意的な作り話のようにも思われるのだが、いずれにしても、「信仰」と「希望」と「慈愛」という三人の娘を生んだ「知恵」という名の母のうちには、神の女性的な側面が象徴的に体現されている。

上：6-4《神の知恵ソフィア》
下：6-5《聖ソフィアと三人の娘》

「聖霊」と聖母マリア

「聖霊」のジェンダーをめぐって、やや話が広がってしまったかもしれないが、ここまでたどってきたように、三位一体の位格(ペルソナ)のひとつ、「聖霊」のうちに女性的な原理を賦与しようとする見方は、古くからたしかに存在してきたように思われる。にもかかわらず、それは異端的とみなされるか、あるいは少なくとも主流となることはなかった。あくまでも三位一体は、男性性優位の教理へと回収されてしまうのだ。そもそも、聖霊は父とも息子とも実体を同じくするというからには、父も息子も両性具有的な存在であると想定しないかぎり(先述のように、グノーシス主義ではたしかにそのように考えられてきた)、聖霊に女性性を重ねることは困難だろう。とはいえ、その流れはたしかに途切れることはなかったのである。

これまでにも何度か登場願った女性の神秘家ビンゲンのヒルデガルトの『スキヴィアス』には、「聖霊」に聖母マリアのイメージが重ねられたヴィジョンが語られ挿絵されている(第二書の第四ヴィジョン)。そこには、「純白のひとつの石でできた巨大な円い塔」(6-6)が建っていて、その塔の頂には明るく輝く三つの窓が開いている。この白い塔を背にしているのは、先の第3章でみてきた教会としてのマリアのイメージで、その「明るく輝く子宮を通過している子供たち〔魂の比喩〕の姿が見える」。そのなかには、彼女の輝かしさを瞑想している者たちもいれば、「彼女から離れ、彼女を攻撃し、彼女の決めた規則を破ろうとする者たちもいる。そのうちのある者たちは、悔い改めの果実によってけなげにも彼女のもとにふたたび戻ってくる」(Scivias 189)。このように、「聖霊」に聖母マリア(あるいはエクレジア)を重ね合わせるイメージは中世にたしかに存在したのだ。

6-6 《聖霊のヴィジョン》(『スキヴィアス』より)

しかも、聖母マリアとしての聖霊が三位一体のうちに忍び込んでくる図像が少なからず存在するのである。その早い例は、たとえば手写本『オフィキウム・トリニターティス』のなかに見ることができる(6-7、一〇一二一―二〇年、ロンドン、大英図書館、Cotton MS Titus D. XXVII fol. 75v)。画面右から、父なる神と子イエスの二人は、同じ光輪をいただき瓜二つの顔つきをしていて、何やら言葉を交わしあっている様子である。イエスはその足で悪魔を踏みつけている。また、その下には、裏切り者の汚名を着せられたイスカリオテのユダと、父と子の実体は同じではありえないと説いて異端視されたアリウスの裸の姿もみえる。

特筆すべきは、画面の左にいる女性の存在である。幼児を抱くその姿から、聖母マリアと想定され、さらに頭上には鳩をいただいている。この鳩にはまた、小さく光輪がついていて、三位一体のうちの聖霊であることが暗示される。とはいえ、ここではその鳩だけではなくて、マリアの姿までが添えられているのである。これが表わしているのは、おそらく、マリアが聖霊によって神の子を宿したこと、つまり受肉の神秘であろう。いずれにしても、聖霊を示すに当たって、マリアの存在が大きく前面に打ち出されているのである。

聖霊に女性性を賦与していたグノーシス主義が、こうした図像に反映されているかどうかは別にして(その可能性はかなり低い)、古代ローマのコインやメダルの浮彫りに見られる共同皇帝の図像が影響を与えていることは大いにありうる(Kantrowicz)。

共同皇帝とは、ローマ帝国の後期、複数の皇帝によって広大な領土を分担統治するようになった制度である(「テトラルキア」と呼ばれる四名による統治はよく知られている)。たとえば二頭政治は、弟ウァレンス(在位三六四―三七八年)と兄ウァレンティニアヌス一世(在位三六四―三七五年)を表わしたコイン(6-8)が示しているように、玉座にすわる二人の皇帝に、勝利の女神ニケが祝福を与える図像として流布していたものである。ルーヴル美術館の名高い古代彫刻《ニケ》さながらに、コインのなかの彼女もまた、大きな翼を広げている。同様の共同皇帝のコインはまた、テオドシウス一世(在位三七九―三九五年)とグラティアヌス(在位三六七―三八三年)などについても伝わっている。

初期の三位一体の図像が、こうしたローマ帝国末期の皇帝の図像からひとつのインスピレーションを得ている可能性はたしかに否定できないだろう。となると、三位一体の聖霊は、聖母マリアの化身でもあれば、勝利の女神ニケの成り代わりでもある。

このように聖母マリアをそのうちに含む特異な三位一体の図像は、その後も新たな展開をみせていく。たとえば、手写本『無怖公ジャンの時禱書』のなかの細密画(6-9、一四〇九―一九年、パリ、国立図書館、MS 3055 fol. 159v)を見てみよう。左の父と右の子にはさまれるようにして真ん中にマリアが、彼らとともに天上に浮いた同じ玉座にすわっている。三者のあいだに上

上：6-7 《三位一体》
下：6-8 《ウァレンス帝とウァレンティニアヌス帝》

下の格差はないどころか、マリアはまさしく中心に位置している。

しかも、聖霊の鳩はもはやここにはいない。マリア本人が聖霊の役目を果たしているのだろうか、それとも、この三人をひとつに結びつけている腰の位置にある円環状の一本のベルトが聖霊の役を担っているのだろうか。もし後者だとすると、さながら父と子と聖霊の三位一体にマリアを加えた四位一体のようにもみえてくる。しかも中心にいるのがマリアで、父と子は、心持ち彼女を見上げるようにして、合掌するマリアのほうを向いている。画面下では、多くの聖人たちが彼らに祈りを捧げている。ここで主役は、父でも子でもなくて、あたかもグレートマザー(太母)でもあるかのような「天の女王」マリアである。

6-9 《天の宮廷》(部分)

ジャン・フーケ(一四二〇頃―八一)が描く《三位一体とマリア》(6-10、『エティエンヌ・シュヴァリエの時禱書』より、一四五二―六〇年、シャンティイ、コンデ美術館、MS. 71)でも、マリアの存在を欠かすことはできない。オレンジ色に燃える天使セラ

6-10　ジャン・フーケ《三位一体とマリア》(部分)

フィムたちの光の輪に囲まれて、画面の正面、いずれも純白の衣をまとった男性の姿をした父と子と聖霊の三者が、ゴシック様式の豪華な玉座についている。ここまではあくまでも三位一体は男性的な原理とみなされている。ところが、それとは別に画面左、冠をつけたマリアが三者からはやや離れて一段だけ低い壇上にすわって合掌している。マリアが冠をつけているのは、被昇天した彼女が神と子と聖霊から「天の女王」としての冠を授かったとされるからで、聖母の被昇天と戴冠とがこうして結びつくこと自体、いかにマリアが三位一体説と切り離しえないかの証しでもある。

イングランドに伝わるフレスコ画《三位一体とマリア》(6-11、一五世紀、ノース・ヨークシャー、ピカリング教区教会)では、子と父にはさまれるように冠をいただくマリアが天の玉座の中央を占め、その上に聖霊の鳩がとまっていて、「女王マリアMARIA R」の銘もみえる。彼らを取り囲んでいるのは、教会の鍵をもつ剃髪のペテロを筆頭に一二人の使徒たちである。その様はあたかも、父と子と聖霊の三位一体にマリアが加わって、さながら四位一体を崇めているかのようである。こうした点を踏まえ、近年では、マリアをして神性の「四番目のメンバー」と呼ぶ研究者(Newman)もいるほどである。

6-11 《三位一体とマリア》

女性としての聖霊

さらに、三位一体の聖霊に女性の(あるいは少なくともそのように見える)イメージを重ねる作例も、中世以来いくつか伝わっている。たとえば、作者もパトロンも不詳だが、おそらくは女性の読者のために制作されたと考えられる写本細密画、『ロスチャイルド詩編』(6-12、一三〇〇年頃、イエール大学、バイネッキ貴重書・手稿図書館、MS 404 40r)に女性とおぼしき聖霊が登場している(Hamburger)。ここでは三つの頭部が横一線に並んでいるが、真ん中の大きな白鳩の下にいる聖霊の頭部は、他の二つとはやや異なって、女性が意識されているようにみえる。彼女は両手で自分の顔を少し覆い隠すようにしていて、

上：6-12　《三位一体》
下：6-13　《三位一体》

その仕草はいわくありげである。みずからの正体を見破られまいとしているのだろうか。おそらく作者も注文主も、聖霊のジェンダーが揺れ動いてきたという事情を知っていて、あえてこうした両義的な表現をとっているのではないかと思われる。

バイエルン地方に残る一四世紀のフレスコ画(6-13、ウルシャリング、ザンクト・ヤコブ聖堂)では、さらに珍しい図像がみられる。大きくて白いひとつのマントに三人がくるまっていて、その年恰好から、向かって右が父なる神、左が子のイエスであることがわかる。となると真ん中が聖霊ということになるが、その柔らかな顔つきは、明らかに左右の二人とは異なっていて、女性としてイメージされているように思われる。この聖霊の肩に、子は右手を、父は左手を添えていて、三者の固い結びつきが暗示されているから、マリアへの連想を誘わないではいないだろう。

一方、比較的多く残されているのは、ひとつの胴体の上に三つの首が載っている怪物のような三位一体である。この図像ではたいてい、その三つとも互いによく似た男性の頭部になっているのが慣例である。ところが、例外的に三つのうちのひとつの頭部だけがやはり女性のようにみえるものが、まれに残されている。わたしの知るかぎりでは、たとえばペルージャのサン・ピエトロ修道院教会堂の扉口を飾る作者不詳のフレスコ画(口絵19、一四世紀)がそれである。三つの頭部は互いに似ていなくはないのだが、左右にくらべると心持ち柔和で長い髪を垂らした真ん中の頭部は、そのジェンダーが相対的にあいまいなままで、おそらくそれは意図されたものと思われる。

同じく一四世紀の細密画(口絵20、一三六〇年頃、ニューヨーク、モルガン・ライブラリー、Ms. M.769 fol. 42r)にもまた、ひとつの頭部だけが女性のようにみえる三頭の三位一体が登場する。この場面は、アブラハムが神の遣わした三人の天使をもてなしたという『創世記』の話に基づくもので、初期キリスト教時代からすでに三位一体の予型(タイポロジー)とみなされ、絵にもよく描かれてきた。ところがこの細密画では、三人の天使が、三頭の三位一体に置き換わっている。しかも、真ん中と左の頭部は長い顎髭をたくわえていてはっきり男性とわかるのだが、いちばん若い右のひとつだけ髭がなくて、しかも肌と頭髪が薄っすらと朱に染まっている。真ん中が父で左が子だとすると、この右の頭部は聖霊しかありえない。ここでもやはり聖霊に女性的なイメージが投影されているのだ。

そもそもこのような三頭の三位一体の図像は、怪物や悪魔を連想させるところから、教会側はこれを歓迎していなかった(Mills)。ギリシア神話のなかの冥界の番人、ケルベロスは三つの頭をもつ犬の怪物である。三頭をもつ堕天使ルシファーを地獄の主に据えたのは、ご存じのように『神曲』のダンテである。ダンテ以前にも、三頭のルシファーは、すでに教会正面の浮彫り装飾(6-14、一三世紀、トゥスカニア、サン・ピエトロ聖堂)などにお目見えしている。

6-14 《堕天使ルシファー》

悪魔への連想を誘うにもかかわらず、そしてそれゆえローマ教会側が批判していたにもかかわらず、フレスコ画や細密画などで三頭の三位一体がよく描かれてきたとするなら、それは、奇抜ゆえに人目を引く図像のストレートさが一般信者にも強くアピールしたからだろう。とはいえ、そのひとつの頭部だけが女性のようにみえるというのは、さらに輪をかけて反正統的なものだから、先述のように、少なくともわたしはここに挙げた二つの例しか知らない。おそらく実際にはもっとあったと想像されるが、いずれにしてもその希少さが証言しているのは、三位一体がいつもつねに男性的な原理のみによって理解され表象されてきたわけではないという事実である。

三位一体と聖母戴冠

マリアによって代表される女性性と三位一体との抜き差しならない関係がさらに顕著に認められるのは、ルネサンスからバロックにかけてカトリック世界で盛んに描かれた、三位一体に聖母戴冠が合体した図像である。それはとりもなおさず、三位一体が男性的な原理だけに収まりきらないことの証拠であるようにわたしには思われる。

両者が合体した図像は、わたしの見るところ、次の三つのタイプに大別される。まず、父なる神が最上位にいて、その下に聖霊の鳩、さらにその下でキリストがマリアに冠を授けるもの。次に、神とキリストと聖霊がほぼ同じ高さにいて、やや低い位置にいるマリアが三者から冠を受け取るもの。そして三番目に、父と子とマリアの三人がともに同じ高さに配されているもの、である。

6-15　クリヴェッリ《聖母戴冠》(部分)

最初の例としては、たとえばカルロ・クリヴェッリ（一四三〇頃―九四／九五）のテンペラ板絵（6-15、一四九三年、ミラノ、ブレラ美術館）を挙げることができる。ここでは、上にいる神が、天上の王としてのイエスと女王としてのマリアに同時に冠を授け、さらにイエスがマリアの冠に手をかざしている。聖霊の鳩は、この三者を結びつけるように、ちょうど真ん中に浮遊している。

二番目の例としては、アンゲラン・カルトン（一四一〇頃―六六）の名高い大作（6-16、一四五三―五四年、ヴィルヌーヴ＝レザヴィニョン、ピエール・ド・リュクサンブール美術館、183×220㎝）がある。三位一体に関連して、ほぼ左右対称のこの絵の最大の特徴は、父と子がまるで一卵性双生児のようにまったく同じ姿形をしていて、マリアの頭上にいる大きな聖霊の鳩の両翼の先端が、父と子それぞれの口元に触れている点である。聖霊は、父からのみならず子からも同じように発している、というわけだ。この考え方は、ローマ教会と正教会の再統合を議論するために一四三九年にフィレンツェで開催された公会議で確認されたところであった(Plesch)。しかもマリアが生んだ子は、父と瓜二つである。牽強付会かもしれないが、それはあたかも神さえもマリアの子であるかのごとくである。こうして、中央で冠を受けるマリアは聖霊とともに、神とイエスをしっかり結び付けているのだ。もはや三位一体にマリアの存在を欠かすことができない、といわんばかりに。

6-16　カルトン《聖母戴冠》(部分)

さらにアンニーバレ・カラッチ(一五六〇―一六〇九)の作品(口絵21、一五九五年頃、ニューヨーク、メトロポリタン美術館)になると、マリアは父と子と同じ高さに座して二人から冠を受け取り、合奏の天使たちがそれを祝福している。もっとも高い位置にいるのは、もはや父なる神ではなくて、マリアの頭上を飛ぶ聖霊の鳩である。マリアの下には、救済を願って天を仰ぐ魂たちが控えている。ここで主役を演じているのはマリアであって、三位一体の中心はもはや父でも子でもなく、マリアと聖霊にほかならないかのようである。

三位一体を包み込むマリアの子宮

三位一体と聖母マリアとの関係がいみじくも逆転したような図像も存在している。一三世紀後半から一七世紀にかけて、フランスやドイツ南部などで盛んに制作された彩色木彫、通称《扉の聖母》(口絵22、一五世紀、パリ、クリュニー美術館)と呼ばれているものがそれである。通常は、ごく普通の幼児キリストと聖母マリアの姿(6-17)をしているのだが、観音開きのようになっている真ん中を開けると、たちまちまったく別の様相を呈してくるのである。それはまるで、聖母の胎内をのぞき見るかのようでもある。

「扉」や「折り戸」を意味するラテン語は「ウァルウァ valva」で、それはまた外陰部を意味する「ウルウァ vulva」にも響きが似ている。中世で広く読まれてきた著書『語源論』で、セビーリャのイシドルス(五六〇頃―六三六)はいみじくも次のように述べていた。

「外陰部 vulva」は、あたかも「折り戸 valva」であるかのように呼ばれる。すなわち、精液がそこから入り、胎児がそこから出ていく子宮の扉である(Isidore of Seville 137)。

まるでそれを絵に描いたかのように、こうした彩色木彫は、扉を開くとマリアの子宮が現われてくるのである。

その真ん中にあるのは、十字架のイエスとそれを支える父なる神、そして聖霊の鳩の姿である。実はこの図像は「恩寵の玉座」と呼ばれるもので、マザッチョのフレスコ画やデューラーの油絵からも知られるように、三位一体のいちばん正統的な図像としてもっとも流布していた定番である。その三位一体を、ほかでもなくマリアがその体内に含みもっているのである。これではまるで、男性優位のはずの正統的な三位一体を、女性のマリアがすっぽりと包み込んで、自分に同化しているといわんばかりである。両翼には、やんごとなき信者たちがひざまずいて礼拝している。別の作例では、両翼にマリアの伝記が配されることもあるが、子宮のなかにあるのはほぼ例外なく「恩寵の玉座」である。さながら三位一体はマリアの胎内から生まれ出るかのように。

6-17 《扉の聖母》

実はこのような図像は、一五世紀初め、パリ大学の神学者ジャン・ジェルソン

（一三六三―一四二九）によって、公然と非難されたことがわかっている。三位一体がすっぽりとマリアの胎内に収まっているからである(Newman; Katz)。これではまるで、当時是として前提されていた、男女の優劣関係がそっくりと転倒しているのも同然である。にもかかわらず、その後きっぱり捨て去られたわけではなくて、一七世紀まで制作がつづけられた。男がどんな理屈をこねようとも、所詮はみんな女から生まれたものなのだ。あえて下世話な言い方をするなら、こうした彫刻は、そうした本音をまさに見事に形にしたもののように、わたしには思われる。だからこそ、異端視されようとも生き延びることができたのだ。

おわりに

キリスト教にはもともと「〜でないもののように（ホース・メー）」という開かれた教訓がある。あまり聞きなれない言い回しかもしれないが、たとえば、男は男でないもののように、日本人は日本人でないもののように、考えたり行動したりできるということである。つまり、わたしたちが生きていくうえで求められているのは、自分とは異なったり反対だったりするような、さまざまな立場の他者の存在をいかに想像し尊重できるか、ということである。

これを説いたのは、本文でも何度か登場願った使徒パウロ（『コリントの信徒への手紙一』）で、さらにその現代的な意義を改めて浮き彫りにしたのは、イタリアの哲学者ジョルジョ・アガンベンの、とりわけ美しい著書『残りの時』である。アガンベンによるとパウロは、わたしたちが自己のアイデンティティや帰属意識に固執しようとするあまりに、ややもすると他者にたいして不寛容になることをそれとなく戒めている、というのだ。

最後に振り返ってみるに、わたしがこのささやかな本のなかで、あえてマイナーで異端的でもあるような図像や言説をたぐりよせながらたどろうとしたのは、こうしたあたかもキリストでないかのような、、、、キリストと、彼に近しい存在の忘れられた系譜であったといえるかもしれない。するとそこに新しい景色が見えてくるのではないだろうか。

もとよりそれは、いわゆる正統とされてきたキリスト教とその美術にとって、たんなる「残余」にして「はみ出しもの」に過ぎないのかもしれない。だが、むしろそうした残余のなかにこそ、宗教本来の寛容性や遊戯性や想像力が宿っていたとしたら、果たしてどうだろうか。とはいえもちろん、今となってその判断は、読者の皆さんに委ねるしかないのではあるが。

末筆ながら編集の労をとっていただき、文字どおり海容にも図版等について筆者のわがままを聞き入れていただいた、岩波書店の松本佳代子さんに心より感謝を申し上げたい。

岡田温司　識

参考文献

アウグスティヌス『告白』全3巻，山田晶訳，中公文庫，2014年．

――――『三位一体』泉治典訳，アウグスティヌス著作集28，教文館，2004年．

赤阪俊一『ヨーロッパ中世のジェンダー問題――異性装・セクシュアリティ・男性性』明石書店，2023年．

アガンベン，ジョルジョ『残りの時――パウロ講義』上村忠男訳，岩波書店，2005年．

――――『王国と楽園』岡田温司・多賀健太郎訳，平凡社，2022年．

秋山聰『聖遺物崇敬の心性史――西洋中世の聖性と造形』講談社選書メチエ，2009年．

芥川龍之介『侏儒の言葉・西方の人』新潮文庫，1968年．

――――『奉教人の死』新潮文庫，2001年．

荒井献『トマスによる福音書』講談社学術文庫，1994年．

――――［編］『新約聖書外典』講談社文芸文庫，1997年．

――――［編］『使徒教父文書』講談社文芸文庫，1998年．

――――『ユダとは誰か――原始キリスト教と『ユダの福音書』の中のユダ』岩波書店，2007年．

遠藤周作『沈黙』新潮文庫，1981年．

エリアーデ，ミルチャ『悪魔と両性具有』宮治昭訳，エリアーデ著作集6，せりか書房，1973年．

岡田温司『マグダラのマリア ― エロスとアガペーの聖女』中公新書，2005年．

――――『キリストの身体――血と肉と愛の傷』中公新書，2009年．

――――『映画とキリスト』みすず書房，2017年．

――――『最後の審判 ― 終末思想で読み解くキリスト教』中公新書，2022年．

オリゲネス『ヨハネによる福音注解』小高毅訳，上智大学神学部編，創文社，1984年．

――――『ケルソス駁論Ⅱ』出村みや子訳，教文館，2010年．

小林昭博『同性愛と新約聖書――古代地中海世界の性文化と性の権力構造』風塵社，2001年．

シェイクスピア『十二夜』安西徹雄訳，光文社古典新訳文庫，2007年．

聖ベルナルド『雅歌について』全4巻，山下房三郎訳，あかし書房，1977-96年．

関根正雄［編］『旧約聖書外典』上下，講談社文芸文庫，1998-99年．

竹田文彦「女性としての聖霊 ── 初期シリア・キリスト教における聖霊理解」『日本の神学』日本基督教学会編，通号 47，2008 年，59-86.
太宰治『駈込み訴え』青空文庫，2023 年 8 月閲覧.
ダミッシュ，ユベール『雲の理論 ── 絵画史への試論』松岡新一郎訳，法政大学出版局，2008 年.
ダンテ『神曲』全 3 巻，平川祐弘訳，河出文庫，2008-09 年.
トマス・ア・ケンピス『キリストにならいて』大沢章・呉茂一訳，岩波文庫，1960 年.
『ナグ・ハマディ文書Ⅰ ── 救済神話』荒井献・大貫隆・小林稔訳，岩波書店，1997 年.
『ナグ・ハマディ文書Ⅱ ── 福音書』荒井献・大貫隆・小林稔・筒井賢治訳，岩波書店，1998 年.
『ナグ・ハマディ文書Ⅲ ── 説教・書簡』荒井献・大貫隆・小林稔・筒井賢治訳，岩波書店，1998 年.
『ナグ・ハマディ文書Ⅳ ── 黙示録』荒井献・大貫隆・小林稔・筒井賢治訳，岩波書店，1998 年.
バフチーン，ミハイール『フランソワ・ラブレーの作品と中世・ルネサンスの民衆文化』川端香男里訳，せりか書房，1974 年.
パノフスキー，エルヴィン『イコノロジー研究』浅野徹・阿天坊耀・塚田孝雄・永沢峻・福部信敏訳，美術出版社，1971 年／ちくま学芸文庫，2002 年.
バルト，カール『イスカリオテのユダ』吉永正義訳，新教出版社，2015 年.
フーコー，ミシェル『性の歴史Ⅳ ── 肉の告白』フレドリック・グロ編，慎改康之訳，新潮社，2020 年.
フローベール，ギュスターヴ『聖アントワーヌの誘惑』渡辺一夫訳，岩波文庫，1997 年.
ボッカッチョ『デカメロン』全 3 巻，平川祐弘訳，河出文庫，2017 年.
──── 『名婦列伝』瀬谷幸男訳，論創社，2017 年.
ボナヴェントゥラ『マリア神学綱要 ── 聖母祝日説教集』関根豊明訳，エンデルレ書店，1994 年.
ボルヘス，ホルヘ・ルイス『伝奇集』鼓直訳，岩波文庫，1993 年.
松原知生『転生するイコン ── ルネサンス末期シエナ絵画と政治・宗教抗争』名古屋大学出版会，2021 年.
水野千依『イメージの地層 ── ルネサンスの図像文化における奇跡・分身・予言』名古屋大学出版会，2011 年.
──── 『キリストの顔 ── イメージ人類学序説』筑摩選書，2014 年.
宮下規久朗『聖母の美術全史 ── 信仰を育んだイメージ』ちくま新書，2021

年.
村上寛「ホノリウス『雅歌講解』試訳(1)」,『清泉女子大学キリスト教文化研究所年報』第30巻, 2022年, 41-61.
ヤコブス・デ・ウォラギネ『黄金伝説』全4巻, 前田敬作他訳, 人文書院, 1979-1987年/平凡社ライブラリー, 2006年.

Arther, Rose Harman, *The Wisdom Goddess: Feminine Motifs in Eight Nag Hammadi Documents*, University Press of America, 1984.
Astell, Ann W., *The Song of Songs in the Middle Age*, Cornel University Press, 1990.
Bale, Anthony, *The Jew in the Medieval Book: English Antisemitisms 1350-1500*, Cambridge University Press, 2006.
Baugh, Lloyd, *Imaging the Divine. Jesus and Christ-Figures in Film*, Sheed & Ward, 1997.
Bezio, Kristin M. S., "Marlowe's Radical Reformation: Christopher Marlowe and the Radical Christianity of the Polish Brethren," *Quidditas*, Vol. 38 (2017), pp. 135-162.
Bonaventura, "De perfectione vitae ad sorores," *Œuvre de Bonaventure opuscules du tome VIII*, révisée par Laure Solignac, Paris, 2020.
Budwey, Stephanie A., "Saint Wilgefortis: A Queer Image for Today," *Religions*, 13 (Jul., 2022), pp. 1-15.
Bynum, Caroline W., *Jesus as Mother: Studies in the Spirituality of the High Middle Ages*, University of California Press, 1984.
Castagno, Adele Monaci (a cura di), *Origene Dizionario: la cultra, il pensiero, le opere*, Città Nuova, 2000.
Castelo, Daniel, *Pneumatology: A Guide for the Perplexed*, T&T Clark, 2015.
Cavalca, Domenico, *Vite di santi padri* (c.1330), Nabu Press, 2013.
DeVun, Leah, "The Jesus Hermaphrodite: Science and Sex Difference in Premodern Europe," *Journal of the History of Ideas*, Vol. 69, No. 2 (Apr., 2008), pp. 193-218.
Dubois, Claude-Gilbert, *Entre mythe et histoire*, Presses Universitaires de Bordeaux, 2019.
Easton, Martha, "The Wound of Christ, the Mouth of Hell: Appropriations and Inversions of Female Anatomy in the Later Middle Ages," *Tributes to Jonathan J.G. Alexander: The Making and Meaning of Illuminated Me-*

dieval and Renaissance Manuscripts, Art and Architecture, Susan L'Engle and Gerald B. Guest eds., Harvey Miller, 2006, pp. 395–414.

Eilberg-Schwartz, Howard, *God's Phallus and Other Problems for Men and Monotheism*, Beacon Press, 1994.

Evans, Jennifer and Sara Read "Blood made White: The Relationship between Blood and Breastmilk in Early Modern England," *Hektoen International: A Journal of Medical Humanities*, (Nov. 4, 2019).

Friesen, Ilse E., *The Female Crucifix: Images of St. Wilgefortis since the Middle Ages*, Wilfrid Laurier University Press, 2001.

Hamburger, Jeffrey F., *The Rothschild Canticles: Art and Mysticism in Flanders and the Rhineland circa 1300*, Yale University Press, 1990.

Hildegard of Bingen, *Scivias*, trans. by Mother Columba Hart and Jane Bishop, Paulist Press, 1990.

Hotchkiss, Valerie R., *Clothes Make the Man: Female Cross Dressing in Medieval Europe*, Routledge, 1996.

Isidore of Seville, *The Etymologies of Isidore of Seville*, Stephen A. Barney et al., ed., Cambridge University Press, 2006.

Jirousek, Carolyn S., "*Christ and St. John the Evangelist* as a Model of Medieval Mysticism," *Cleveland Studies in the History of Art*, Vol. 6 (2001), pp. 6–27.

Jordan, Mark D., *The Invention of Sodomy in Christian Theology*, University of Chicago Press, 1998.

Kantorowicz, Ernst H., "The Quinity of Winchester," *The Art Bulletin*, Vol. XXIX, No. 2 (June, 1947), pp. 73–85.

Katz, Melissa R., "Behind Closed Doors: Distributed Bodies, Hidden Interiors, and Corporeal Erasure in "Vierge ouvrante" Sculpture," *RES: Anthropology and Aesthetics*, No. 55/56, 2009, pp. 194–221.

Kerkhof, Debbie, "Transvestite Knights: Men and Women Cross-dressing in Medieval Literature," 2013 [Transvestite Knights-Thesis. pdf (uu.nl)].

Kolve, Verdel Amos, "Ganymede/Son of Getron: Medieval Monasticism and the Drama of Same-Sex Desire," *Speculum*, Vol. 73, No. 4 (Oct., 1998), pp. 1014–1067.

LaCroix, Wilfred L., "Christianity and the Androgyne," *Dominicana: A Quarterly of Popular Theology*, 53–3 (Fall 1968), pp. 197–210.

Lee, Minji, "The Womb in Labour: Representing the Woman's Body as an Active Vessel in Hildegard of Bingen's *Cause et Cure*," *Social History of*

Medicine, Volume 35, Issue 4, November 2022, Pages 1183-1199.
Mackley, Jude S., "The medieval legend of Judas Iscariot: the Vita of Judas and the Gospel of Barnabas," *York Medieval Religion Research Group Meeting*, King's Manor, University of York, 2007, pp. 1-22.
McGinn, Bernard, *The Flowering of Mysticism: Men and Women in the New Mysticism (1200-1350)*, Crossroad, New York, 1998.
Miller, Julie B., "Eroticized Violence in Medieval Women's Mystical Literature: A Call for a Feminist Critique," *Journal of Feminist Studies in Religion* Vol. 15, No. 2 (Fall 1999), pp. 25-49.
Mills, Robert, "Jesus as Monster," Bettina Bildhauer and Robert Mills eds., *The Monstrous Middle Ages*, University of Wales Press, 2003, pp. 28-54.
Muzj, Maria Giovanna, "La Vergine Madre e la Trinità nell'iconografia cristiana," *De Trinitatis Mysterio et Maria, Acta congressus mariologici-mariani internationalis in civitate Romae anno 2000 celebrati*, Pont. Academia Mariana Internationalis, Città del Vaticano 2004, pp. 463-518.
Newman, Barbara, *God and the Goddesses: Vision, Poetry, and Belief in the Middle Ages*, University of Pennsylvania Press, 2005.
Perella, Nicolas J., *The Kiss Sacred and Profane*, University of California Press, 1969, 2022.
Plesch, Véronique, "Enguerrand Quarton's *Coronation of the Virgin*: This World and the Next, the Dogma and the Devotion, the Individual and the Community," *Historical Reflections*, 26-2 (Summer 2000), pp. 189-221.
Primiano, Leonard Norman, "Vernacular Religion and the Search for Method in Religious Folklife," *Western Folklore*, Vol. 54, No. 1 (Jan., 1995), pp. 37-56.
Putter, Ad, "Transvestite Knights in Medieval Life and History," Jeffrey Jerome Cohen and Bonnie Wheeler eds., *Becoming Male in the Middle Ages*, Routledge, 1997, pp. 279-302.
Reinhartz, Adele, ed., *Bible and Cinema: Fifty Key Films*, Routledge, 2013.
Reiss, Ben, "Pious Phalluses and Holy Vulvas: the Religious Importance of Some Sexual Body-Part Badges in Late-Medieval Europe (1200-1550)," *Peregrinations: Journal of Medieval Art & Architecture*, Vol. VI, No. 1 (spring 2017), pp. 151-176.
Schäfer, Peter, *Mirror of His Beauty: Feminine Images of God from the Bible to the Early Kabbalah*, Princeton University Press, 2002.
Shell, Marc. "The Holy Foreskin: or, Money, Relics, and Judeo-Christianity,"

Jews and Other Differences: The New Jewish Cultural Studies, Jonathan Boyarin and Daniel Boyarin eds., University of Minnesota Press, 1997, pp. 345–359.

Slatkes, Leonard J., "Hieronymus Bosch and Italy," *The Art Bulletin*, Vol. 57, No. 3 (Sep., 1975), pp. 335–345.

Sperling, Jutta Gisela, *Roman Charity: Queer Lactations in Early Modern Visual Culture*, Transcript Verlag, 2017.

Tatum, W. Barnes, *Jesus at the Movies: A Guide to the First Hundred Years*, Polebridge Press, 1998.

White, James Aaron, *Ring of Flesh: Late Medieval Devotion to the Holy Foreskin*, A thesis submitted in partial fulfillment of the requirements for the degree of Doctor of Philosophy in History, Department of History and Classics, University of Alberta, 2022.

岡田温司

1954(昭和29)年，広島県に生まれる．京都大学大学院博士課程修了．京都大学名誉教授．現在，京都精華大学大学院特任教授．専門は西洋美術史，思想史．

著書―『モランディとその時代』(人文書院，2003年，吉田秀和賞受賞)
『マグダラのマリア』(中公新書，2005年)
『フロイトのイタリア』(平凡社，2008年，読売文学賞)
『デスマスク』(岩波新書，2011年)
『黙示録』(岩波新書，2014年)
『映画は絵画のように』(岩波書店，2015年)
『西洋美術とレイシズム』(ちくまプリマー新書，2020年)
『最後の審判』(中公新書，2022年)
『ネオレアリズモ』(みすず書房，2022年)
『反戦と西洋美術』(ちくま新書，2023年)
ほか多数．

キリストと性
――西洋美術の想像力と多様性　　岩波新書(新赤版)1992

2023年10月20日　第1刷発行

著　者　岡田温司(おかだあつし)

発行者　坂本政謙

発行所　株式会社 岩波書店
〒101-8002 東京都千代田区一ツ橋2-5-5
案内 03-5210-4000　営業部 03-5210-4111
https://www.iwanami.co.jp/

新書編集部 03-5210-4054
https://www.iwanami.co.jp/sin/

印刷・精興社　カバー・半七印刷　製本・中永製本

ISBN 978-4-00-431992-4　　Printed in Japan

岩波新書新赤版一〇〇〇点に際して

ひとつの時代が終わったと言われて久しい。だが、その先にいかなる時代を展望するのか、私たちはその輪郭すら描きえていない。二〇世紀から持ち越した課題の多くは、未だ解決の緒を見つけることのできないままであり、二一世紀が新たに招きよせた問題も少なくない。グローバル資本主義の浸透、憎悪の連鎖、暴力の応酬――世界は混沌として深い不安の只中にある。

現代社会においては変化が常態となり、速さと新しさに絶対的な価値が与えられた。消費社会の深化と情報技術の革命は、種々の境界を無くし、人々の生活やコミュニケーションの様式を根底から変容させてきた。ライフスタイルは多様化し、一面では個人の生き方をそれぞれが選びとる時代が始まっている。同時に、新たな格差が生まれ、様々な次元での亀裂や分断が深まっている。社会や歴史に対する意識が揺らぎ、普遍的な理念に対する根本的な懐疑や、現実を変えることへの無力感がひそかに根を張りつつある。そして生きることに誰もが困難を覚える時代が到来している。

しかし、日常生活のそれぞれの場で、自由と民主主義を獲得し実践することを通じて、私たち自身がそうした閉塞を乗り超え、希望の時代の幕開けを告げてゆくことは不可能ではあるまい。そのために、いま求められていること――それは、個と個の間で開かれた対話を積み重ねながら、人間らしく生きることの条件について一人ひとりが粘り強く思考することではないか。その営みの糧となるものが、教養に外ならないと私たちは考える。歴史とは何か、よく生きるとはいかなることか、世界そして人間はどこへ向かうべきなのか――こうした根源的な問いとの格闘が、文化と知の厚みを作り出し、個人と社会を支える基盤としての教養となった。まさにそのような教養への道案内こそ、岩波新書が創刊以来、追求してきたことである。

岩波新書は、日中戦争下の一九三八年一一月に赤版として創刊された。創刊の辞は、道義の精神に則らない日本の行動を憂慮し、批判的精神と良心的行動の欠如を戒めつつ、現代人の現代的教養を刊行の目的とする、と謳っている。以後、青版、黄版、新赤版と装いを改めながら、合計二五〇〇点余りを世に問うてきた。そして、いままた新赤版が一〇〇〇点を迎えたのを機に、人間の理性と良心への信頼を再確認し、それに裏打ちされた文化を培っていく決意を込めて、新しい装丁のもとに再出発したいと思う。一冊一冊から吹き出す新風が一人でも多くの読者の許に届くこと、そして希望ある時代への想像力を豊かにかき立てることを切に願う。

（二〇〇六年四月）

岩波新書より

芸術

- カラー版 名画を見る眼Ⅱ　高階秀爾
- カラー版 名画を見る眼Ⅰ　高階秀爾
- 占領期カラー写真を読む　佐藤洋一／衣川太一
- 水墨画入門　島尾新
- 酒井抱一 俳諧と絵画の織りなす抒情　井田太郎
- 平成の藝談 歌舞伎の真髄にふれる　犬丸治
- K-POP 新感覚のメディア　金成玟
- ベラスケス 宮廷のなかの革命者　大髙保二郎
- ヴェネツィア 美の都の一千年　宮下規久朗
- 丹下健三 戦後日本の構想者　豊川斎赫
- 学校で教えてくれない音楽◆　大友良英
- 中国絵画入門　宇佐美文理
- 瞽女うた　ジェラルド・グローマー
- 東北を聴く　佐々木幹郎
- 黙示録　岡田温司
- ボブ・ディラン ロックの精霊　湯浅学
- 仏像の顔　清水眞澄
- 柳宗悦　中見真理
- ヘタウマ文化論　山藤章二
- 小さな建築　隈研吾
- コルトレーン ジャズの殉教者　藤岡靖洋
- 雅楽を聴く　寺内直子
- 歌謡曲　高護
- 歌舞伎の愉しみ方　山川静夫
- 自然な建築　隈研吾
- 肖像写真　多木浩二
- 東京遺産　森まゆみ
- 絵のある人生　安野光雅
- 日本の色を染める　吉岡幸雄
- プラハを歩く　田中充子
- 日本絵画のあそび　榊原悟
- ぼくのマンガ人生　手塚治虫
- 日本の近代建築 上・下　藤森照信
- ゲルニカ物語　荒井信一
- 千利休 無言の前衛　赤瀬川原平
- やきもの文化史　三杉隆敏
- 歌右衛門の六十年　中村歌右衛門／山川静夫
- フルトヴェングラー　脇圭平／芦津丈夫
- 明治大正の民衆娯楽　倉田喜弘
- 茶の文化史　村井康彦
- 日本の耳　小倉朗
- 日本の子どもの歌　園部三郎／山住正己
- 二十世紀の音楽　吉田秀和
- 水墨画　矢代幸雄
- 絵を描く子供たち　北川民次
- ギリシアの美術　澤柳大五郎
- 音楽の基礎　芥川也寸志
- 日本刀　本間順治
- 日本美の再発見〔増補改訳版〕　ブルーノ・タウト／篠田英雄 訳
- ミケルアンヂェロ　羽仁五郎

(2023.7)　◆は品切，電子書籍版あり．(R)

岩波新書/最新刊から

1982 パリの音楽サロン ―ベルエポックから狂乱の時代まで― 青柳いづみこ 著

サロンはジャンルを超えた若い芸術家たちが才能を響かせ合い、新しい芸術を作る舞台だった。パリの芸術家たちの交流を描く。

1983 桓武天皇 ―決断する君主― 瀧浪貞子 著

二度の遷都と東北経営、そして弟・早良親王との確執を乗り越えた、類い稀なる決断力。「造作と軍事の天皇」の新たな実像を描く。

1984 ハイチ革命の世界史 ―奴隷たちがきりひらいた近代― 浜忠雄 著

反レイシズム・反奴隷制・反植民地主義を掲げ近代の一大画期となったこの革命と、苦難にみちたその後を世界史的視座から叙述。

1985 アマゾン五〇〇年 ―植民と開発をめぐる相剋― 丸山浩明 著

各時代の列強の欲望が交錯し、激しい覇権争いが繰り広げられてきたアマゾン。特異な大地のグローバルな移植民の歴史を俯瞰する。

1986 トルコ 建国一〇〇年の自画像 内藤正典 著

世俗主義の国家原則をイスラム信仰と整合させる困難な道を歩んできたトルコ。その波乱の過程を、トルコ研究の第一人者が繙く。

1987 循環経済入門 ―廃棄物から考える新しい経済― 笹尾俊明 著

「サーキュラーエコノミー(循環経済)」とは何か。持続可能な生産・消費、廃棄物処理・資源循環のあり方を経済学から展望する。

1988 文学は地球を想像する ―エコクリティシズムの挑戦― 結城正美 著

環境問題を考える手がかりは文学にある。エコクリティシズムの手法で物語に分け入り、地球と向き合う想像力を掘り起こす。

1989 シンデレラはどこへ行ったのか ―少女小説と『ジェイン・エア』― 廣野由美子 著

強く生きる女性主人公の物語はどこから?英国の古典的名作『ジェイン・エア』から始まる脱シンデレラ物語の展開を読み解く。

(2023. 10)